L'Esthétique d'Antoine de Saint-Exupéry

CARLO FRANÇOIS
(Wellesley College)

L'Esthétique d'Antoine de Saint-Exupéry

Préface de
ANDRÉ MARISSEL

SCHOENHOF'S
FOREIGN BOOKS, Inc.
Cambridge, Mass.

ÉDITIONS
DELACHAUX & NIESTLÉ
Neuchâtel et Paris

A mes parents.

A Marion.

Nous exprimons nos sentiments de vive gratitude à M. le professeur LeRoy C. Breunig qui nous a aidé de ses conseils et de ses encouragements, pendant la préparation et la rédaction de ce travail.

Nous remercions aussi Mademoiselle Simone de Saint-Exupéry et M. Lewis Galantière de l'aide morale qu'ils nous ont apportée et des renseignements qu'ils ont bien voulu nous communiquer.

Notre reconnaissance s'adresse enfin à M. le professeur Armand Hoog dont les témoignages oraux nous ont été si précieux, ainsi qu'à MM. Denis de Rougemont et Léon Werth dont les lettres nous ont été d'une grande utilité.

Les extraits des Œuvres Complètes d'Antoine de Saint-Exupéry, figurant dans cet ouvrage, ont été reproduits avec la gracieuse autorisation de la Librairie Gallimard (tous droits réservés) à qui nous témoignons ici notre gratitude.

PRÉFACE

« — L'homme, disait mon père, c'est d'abord celui qui crée. Et seuls sont frères les hommes qui collaborent. Et seuls vivent ceux qui n'ont point trouvé leur paix dans les provisions qu'ils avaient faites. »

A. de Saint-Exupéry.

Imaginons un lecteur qui n'aurait jusqu'à présent pris connaissance que d'articles sur Saint-Exupéry et son œuvre. Il se procure les livres de cet écrivain. S'il n'est pas à proprement parler un lettré, il risque de manquer, non « Saint-Ex. », l'homme de la légende, une sorte de Bayard moderne, mais le créateur, celui qui, très tard dans la nuit, ordonnait son univers, fondait cette « citadelle » que tout être épris de grandeur et de beauté, est tenté de bâtir. Quel est l'homme qui, à un moment critique de son histoire personnelle, n'a pas été saisi par la vision d'un monde cohérent, harmonieux, où chaque personne serait à sa place, jouerait parmi les autres — et pour les autres — le rôle que sa vocation lui dicte ? Cette vision ne quittera pas le poète. En écrivant, en payant de sa personne, il ne cessera de lutter pour qu'elle s'inscrive dans les faits et c'est pourquoi, si naturellement, il se substitue aux conducteurs de peuples, aux prophètes quand ce n'est pas à Dieu lui-même, et devient un « législateur non-reconnu du monde ». (Shelley.)

Cette expression convient on ne peut plus à l'auteur de Terre des Hommes, *de* Citadelle, *où quelques rares et savants commentateurs, comme Carlo François, ont cherché à découvrir les intentions de l'écrivain, à mesurer le chemin parcouru par lui de la réflexion sur les œuvres à l'élaboration, faite de reprises et de tâtonnements, d'une œuvre pleinement assumée et signée d'un paraphe inimitable. En schématisant la pensée de Malraux, des essayistes ont précisé que, pour ce dernier, « L'art est invention de formes, par la conquête d'un style sur les styles qui l'ont précédé » [1]. Il est vraisemblable que Saint-Exupéry eût souscrit à cette définition. Aussi bien Carlo François a-t-il raison de rappeler aux critiques — mais les plus notables d'entre eux en ont eu déjà l'intuition — que l'artiste et l'aviateur ne faisaient qu'un, étaient avant tout à la poursuite d'un absolu esthétique inséparable, il va sans dire, d'un absolu moral et métaphysique. Saint-Exupéry estimait « puérils et aveugles ceux qui distinguent la pensée de l'action » ; il ajoutait que « prendre conscience, c'est d'abord [sur tous les plans] acquérir un style ». Mais, si l'on a compris, en général, l'homme d'action chez Saint-Exupéry, ce fut presque toujours aux dépens du créateur. Faute d'être considéré comme l'égal des grands écrivains de la première moitié du siècle, il a été intégré d'autant plus vite dans la mythologie quelque peu absurde de notre temps. Carlo François s'en est irrité. Il exige maintenant de nous un peu moins de paresse et un peu plus de justice. Il nous invite, en mettant en lumière les influences subies tout au long de sa trop brève existence par Saint-Exupéry, à une redécouverte de l'homme et de son message. Même si nous pensons qu'un livre comme* Citadelle

(1) *Cf.* Les Œuvres et les Lumières *de André et Jean Brincourt, excellente introduction à la lecture de la* Psychologie de l'Art.

est dangereux, parce qu'il justifie par avance le totalitarisme (2), *avons-nous cependant le droit de trahir l'écrivain, de négliger l'ouvrage auquel il tenait certainement le plus ? Un « législateur non-reconnu du monde » est un être riche en ressources comme en contradictions. C'est dans son dernier livre, vaste cathédrale imaginée par un mystique en quête d'une foi, que Saint-Exupéry apparaît vraiment comme tel. Et ce n'est sans doute pas par hasard que, dans cette Bible, l'aviateur s'est entièrement effacé derrière l'homme, conçu comme le dépositaire d'une vérité supérieure à laquelle il n'a pu que très lentement accéder. Cela ne signifie pas que Saint-Exupéry ait abandonné son métier — nous savons qu'il n'en fut rien — mais qu'il a voulu se dégager plus que jamais de l'anecdote, envisager tout le passé, tout le présent et tout l'avenir de l'espèce humaine. Du point de vue métaphysique, son échec est l'échec du poète — qui laisse toutefois en héritage aux générations futures un univers de symboles à explorer, et l'image d'une haute ambition d'artiste.*

De l'homme qui est mort, Saint-Exupéry disait : « Si l'on vénère sa mémoire [il sera] plus présent et plus puissant que le vivant ». Certes. Mais s'il devient une idole, ne risque-t-il pas d'être « utilisé », « embarqué » par telle ou telle église où il n'a que faire ? Le livre de Carlo François rappellera aux éducateurs que Saint-Exupéry n'est pas forcément le compagnon idéal et obligatoire de Baden-Powell, du Père de Foucault ou du Docteur Schweitzer (si respectables que soient ces personnalités) ; que leur opinion sur l'œuvre et l'homme est souvent superficielle. En ce qui concerne Saint-Exupéry — et Camus, et bien d'autres encore — n'y a-t-il pas malentendu, un malentendu qui n'a que trop duré ? Aux critiques,

(2) *Mais devons-nous le condamner, en songeant à de futurs apprentis-sorciers, comme on a condamné Nietzsche en évoquant l'usage qu'en firent les nazis ?*

aux professeurs, aux auteurs de nouveaux essais sur l'écrivain, Carlo François apportera mieux qu'une précieuse documentation ; il aidera chaque lecteur à lire Saint-Exupéry comme Saint-Exupéry désirait être lu. « Qu'est-ce donc que la morale ? » demandait André Gide. Et il déclarait aussitôt : « Une dépendance de l'esthétique ». Cette réponse, Antoine de Saint-Exupéry l'eût sans doute mise sous les yeux de ses trop zélés admirateurs...

André MARISSEL.

ÉCLAIRCISSEMENT

L'étude qui suit a été rédigée dans le courant du premier trimestre de 1953. Dans sa forme originelle, elle constituait l'essentiel d'une thèse de doctorat présentée à l'université de Harvard qui en conserve deux exemplaires, en vertu des règlements académiques de cette institution.

A l'époque où cette thèse fut défendue devant un jury composé de professeurs américains et français, les *Carnets* et les *Lettres de Jeunesse* d'Antoine de Saint-Exupéry n'avaient pas encore paru en librairie et les manuscrits de ces deux plaquettes ne nous étaient accessibles en aucune manière. Sans verser d'éléments vraiment nouveaux dans le débat, ces deux brochures (la première, en particulier) ont l'avantage de confirmer ou de mettre en évidence des leçons qu'il était déjà possible de dégager des autres œuvres de l'aviateur. Nous avons ainsi tenu à inclure les *Carnets* et les *Lettres de Jeunesse* dans le cadre de nos préoccupations ; mais nous l'avons fait après-coup, sous la forme de notes qui serviront à illustrer ou à corroborer des conclusions tirées du reste de la production littéraire de Saint-Exupéry.

Au moment de la rédaction de cette étude, la Collection de la Pléiade n'avait pas encore ouvert ses pages à Antoine de Saint-Exupéry. Nos citations sont tirées presqu'exclusivement des *Œuvres Complètes* telles que la Maison Gallimard les a éditées en 1950. Ce volume richement illustré est d'ailleurs encore actuellement aussi répandu aux Etats-Unis d'Amérique que son puîné de la Pléiade. Et nous nous sommes cru autorisé à ne pas abandonner, en ce qui concerne la pagination, ce premier témoin d'une somme dont l'essentiel était donné dès la publication de *Citadelle* et que notre tableau bibliographique complètera pour les besoins de l'exposé.

INTRODUCTION

Depuis la mort d'Antoine de Saint-Exupéry, survenue en 1944, on a émis sur la production littéraire de l'aviateur de nombreuses opinions fort diverses et souvent même contradictoires. La plupart de ces jugements portent sur l'homme et sa pensée et tendent à les rattacher à une tradition éthique [(1)], à en dégager des valeurs humanistes particulières [(2)] ou même à y relever les traces d'une certaine adhésion confessionnelle [(3)].

Les avis que l'on a donnés sur la teneur proprement artistique de cette œuvre sont plus rares. Ils sont en général favorables à l'écrivain, dont ils signalent le talent, mais ils aboutissent trop souvent à présenter Saint-Exupéry comme un romancier aux dons artistiques tout individuels qui s'est refusé aux influences, s'est volontairement abstenu de lire et s'est tenu à l'écart des coteries littéraires et des grands débats de la littérature. Un biographe français de Saint-Exupéry a fortement contribué à répandre ces vues d'ailleurs partiellement justifiables. M. Pierre Chevrier, cinq ans après la disparition du pilote, s'attachait encore à dépeindre un Saint-Exupéry qui « lisait peu et, en période de travail littéraire (...) n'ouvrait que des livres scientifiques. On trouvait sur sa table de chevet Eddington, Planck, Eisenberg, Broglie, Jeans. Telles lectures ne troublaient pas son univers... » [(4)] Plus loin, et sans définir cet « univers » que le romancier aurait eu le pouvoir de soustraire aux influences, M. Chevrier écrivait : « L'auteur de *Courrier-Sud* était sans doute moins éloigné du Giraudoux des *Provinciales* que du Giraudoux de *Bella*. Mais la fausse ressemblance que signalent les critiques est ailleurs. Les deux écrivains en cause possèdent chacun cet art de l'antithèse... » (5) Quant à ceux qui évoquaient les influences gidiennes, M. Chevrier se contentait de leur répondre : « Qu'on relise les *Nourritures* pour se rendre compte de l'espace qui sépare l'oasis d'El-Kantara du désert de *Citadelle*. »(6)

En 1951, M. F.A. Shuffrey, un critique littéraire lui, résumait son point de vue en ces termes : « The word *literature* should be used with caution, for in the narrow sense no writer was less literary than he. Throughout his work, it is doubtful whether the reader can find a single quotation from any other author, or any allusion to, or comparison with, any other art form. He created few if any imaginary characters, and there is probably no considerable section of his work which is purely fiction (...) No artifice, no fiction, no posturing : simply the stark necessity of expressing himself... » (7)

Même si l'on partage les réserves que M. Shuffrey formule sur le sens du mot « littérature » quand on l'applique à l'œuvre de Saint-Exupéry, on ne peut pas admettre toutes les raisons sur lesquelles le critique anglo-saxon fonde une opinion que la parution de *Citadelle*, en 1948, aurait dû corriger.

Parmi les premiers, M. Philip A. Wadsworth a voulu réagir contre la tendance générale : « ... it is a mistake to consider Saint-Exupéry an independent author, immune to the forces which weigh upon the world of letters. » (8) M. Wadsworth déplorait, en 1951, qu'on n'eût pas encore indiqué quelles influences littéraires Saint-Exupéry avait subies pendant son adolescence ou accueillies dans les années de sa maturité. Il ouvrait la voie dans ce domaine et citait un article de revue américaine [9], dans lequel l'aviateur avait un jour mentionné lui-même quelques-uns de ses auteurs préférés : ceux de son enfance, Hans Christian Andersen et Jules Verne ; ceux de son adolescence, Balzac et Dostoïevski ; ses poètes favoris, Baudelaire, Leconte de Lisle et Rainer Maria Rilke ; le romancier qu'il admirait, Jean Giraudoux. M. Wadsworth suggérait encore d'autres sources d'influence : « He was well trained in the humanities and in classical philosophy, and one senses — although the precise relationship is rather intangible — that he counted certain modern thinkers among his spiritual forebears : Barrès, Bergson, on occasion even Maritain (...), Nietzsche, from whom he quotes (...) Elie Faure, an admirer and interpreter of Nietzsche, seems to have made a major contribution to Saint-Exupéry's ideas on art and aesthetics, and even to his vocabulary of symbols and images, as could be shown by a careful study of *Les Constructeurs* and *La Danse sur le feu et l'eau.* The influence of his friend André Gide — and Gide himself hinted at it in his preface of *Vol de Nuit* — can often be felt in certain mannerisms of style (...) Another voice, that of Pascal, rings out... » [10]

Les sources principales de l'esthétique de Saint-Exupéry, M. Wadsworth les a indiquées ou suggérées dans cet article où le critique formulait le vœu qu'une étude esthétique des œuvres de Saint-Exupéry permît un jour d'en connaître davantage sur cet aspect trop négligé de l'écrivain. [11]

Tout travail entrepris sur l'esthétique d'un auteur doit se fonder sur une recherche des influences que cet auteur a subies ; il ne peut cependant pas en rester là. Il importerait peu de mettre en lumière les antécédents esthétiques d'Antoine de Saint-Exupéry, si ce n'était pour montrer le parti que l'écrivain lui-même a su en tirer dans ses livres. De plus, tout, chez un homme, est une question d'influences. Il convient donc de choisir et de ne retenir que les courants qui ont déversé dans ces livres de réelles valeurs esthétiques.

En dernière analyse, que faut-il entendre par « valeurs esthétiques » ? Et sont-ce bien celles qu'il importe de dégager ?

Les valeurs esthétiques, telles que nous les envisagerons dans cette étude, sont les forces innombrables qui suscitent, alimentent et constituent l'activité créatrice globale d'un écrivain, d'un architecte, d'un musicien. Considérées dans ce sens large que notre premier chapitre justifiera et expliquera, elles permettent de replacer l'écrivain dans sa perspective authentique et de rassembler une personnalité dont on ne considère, d'habitude, que des aspects fragmentaires et parfois même contradictoires.

Par définition, le point de vue esthétique est le seul qui restitue son unité profonde à une œuvre qui a débordé du cadre de la littérature pour associer plusieurs autres formes de l'activité créatrice ; il saisit et met en évidence les rapports très étroits qui unissent les modes les plus variés du phénomène créateur tels que, en l'occurrence, une page de *Citadelle*, une mission de vol ou même la découverte d'un dispositif de démarrage pour moteurs d'avion. Tout autre point de vue n'aboutira jamais qu'à morceler l'œuvre humaine de Saint-Exupéry et à en extraire des vérités incompatibles.

Biographes et critiques s'accordent en général pour diviser la personnalité d'Antoine de Saint-Exupéry. On a peine à en saisir l'unité profonde. Ici, on reconnaît à l'homme « cinq visages » (12) : celui du pilote, celui de l'écrivain, celui de l'homme, celui de l'inventeur et celui du magicien. Là, on n'en retient que « trois » (13) : le poète, le romancier et le moraliste. Dans l'ensemble, on s'attache surtout à l'écrivain et à ses œuvres ; mais, là encore, c'est pour en dégager deux aspects distincts : celui de l'artiste et celui de l'humaniste (14), ou bien, en d'autres termes, celui du romancier et celui du moraliste.

Nous ne nions pas l'existence et la valeur de tous ces centres d'intérêt et de ces formes diverses de l'activité créatrice, chez un homme qui s'est livré à de passionnantes recherches dans tant de domaines. Mais nous pensons que, comme beaucoup, Saint-Exupéry s'est choisi un point de vue unique et suffisamment large pour rassembler et coordonner les tendances parfois divergentes de ses facultés créatrices. Ce point de vue, *Citadelle* nous l'indique. C'était celui du père spirituel de Saint-Exupéry. Ce fut celui de tous ceux qui, sur les pas de Goethe et de Nietzsche, se sont appelés des CREATEURS, ont essayé de justifier l'existence du monde comme un phénomène esthétique et sont allés au-delà du Bien et du Mal. Saint-Exupéry a voulu, lui aussi, « embellir les âmes » (15) ; il a vu dans la création, quelle qu'elle soit, un moyen de forcer son idéal esthétique à se réaliser, c'est-à-dire, à être vécu par lui-même et à être proposé aux hommes pour qu'il soit vécu par eux.

On a vu, en général, que l'auteur de *Vol de Nuit* retournait vers les « créateurs » et rouvrait la perspective des héros. On s'est borné à constater ; on n'a pas tiré les conclusions qui s'imposaient. Ces conclusions que l'œuvre posthume est venue confirmer, on pouvait cependant les dégager du second ouvrage de l'aviateur. C'est en effet dans ce livre que Saint-Exupéry tentait déjà de fonder cette civilisation esthétique dont *Citadelle* a précisé les valeurs.

Antoine de Saint-Exupéry a poursuivi l'œuvre de Nietzsche et de Faure. Pour lui, comme pour ses prédécesseurs, l'essentiel est de *créer* ; le mode d'expression est accessoire. L'artiste et l'humaniste, le romancier et le moraliste, l'aviateur et l'homme de sciences sont les attributs secondaires et également valables de la nature unique du créateur. L'art n'a d'autre but que d'épouser et de transmettre la vie. Il postule une morale, mais cette morale ne vaut que si elle est elle-même soumise à la vie qu'elle doit servir, et si elle favorise l'élan créateur qu'elle doit nourrir et justifier.

Mais voilà ! Le créateur s'appliquant à exprimer la vie et à ne faire que cela, c'est la recherche passionnée d'un absolu esthétique. C'est le rêve démesuré dans la contemplation duquel Frédéric Nietzsche s'est usé jusqu'à la folie ;

c'est aussi celui qui a nourri l'enthousiasme d'Elie Faure jusqu'à ses *Regards sur la Terre Promise* (16) et ses *Méditations Catastrophiques.* (17)

Cet absolu, Saint-Exupéry en a découvert certains aspects dans la contemplation, dont il disait qu'elle lui permettait d'absorber toutes les contradictions du langage. Cet absolu, il se l'est proposé dans la mort même. (18) En dernière instance, c'est tout un univers métaphysique que l'écrivain a essayé de réconcilier avec son idéal esthétique. Y est-il parvenu ? C'est dans la mort, et là seulement, qu'il a entrevu la possibilité d'un achèvement impensable ailleurs et qu'il a situé la solution des contradictions dont il a vécu. Parti du principe que « la vérité (...) c'est ce qui simplifie le monde » (19), il a abouti à orienter sa recherche de l'unité vers l'image d'un Dieu qu'il a appelé « le nœud essentiel d'actes divers ». (20)

En face de telles déclarations, on ne peut que se sentir appelé à tenter de rétablir dans son unité réelle une activité créatrice qui ne s'est jamais divisée dans ses fins ni dans les moyens multiples (21) qu'elle a choisis pour se traduire aux hommes.

Dans un premier chapitre, nous indiquerons comment il est possible de relever, dans les livres de Saint-Exupéry, les traces profondes qu'y a laissées l'esthétique d'Elie Faure. Nous montrerons ensuite de quelle manière l'esthétique nietzschéenne a marqué ces ouvrages : directement d'abord, et sans autre intermédiaire que celui d'une traduction en français des œuvres du penseur allemand ; indirectement aussi, à travers la pensée du critique d'art français. Nous y considérerons également certains aspects, parmi les plus apparents, de l'influence gidienne, sans toutefois y traiter la question du style qui sera débattue au troisième chapitre. Nous signalerons enfin d'autres emprunts de moindre importance.

Notre deuxième chapitre développera l'Art Poétique de Saint-Exupéry, tel qu'il est possible de le reconstituer dans le réel désordre du volume, à partir des préceptes dans lesquels le chef de *Citadelle* et son père ont résumé leurs convictions. Nous y distinguerons quatre thèmes fondamentaux : le poète, l'image, le langage et le poème.

Dans un troisième chapitre, nous nous efforcerons d'illustrer les théories esthétiques de Saint-Exupéry en utilisant principalement les documents publiés du vivant de l'auteur. Nous tenterons aussi d'y définir l'apport du métier, la teneur du style, la qualité des personnages et la formule du livre, chez un écrivain dont il est encore trop tôt, sans doute, pour déterminer la place qu'il occupe dans la littérature, mais qu'il est cependant permis d'envisager, dès maintenant, en fonction de certains courants du siècle et en face de quelques exigences du roman.

CHAPITRE PREMIER

Les œuvres d'Antoine de Saint-Exupéry portent des traces visibles d'emprunts littéraires.

L'écrivain a, il est vrai, proscrit le procédé des citations directes auquel d'autres littérateurs ont recours. Frédéric Nietzsche est le seul auteur auquel échoit le privilège d'une citation directe, d'ailleurs incorrecte, dans les quelque mille pages des *Œuvres Complètes.* (22) Ainsi qu'il en fait part dans la formule d'introduction à la parole de Nietzsche, Saint-Exupéry cite vraisemblablement de mémoire une pensée dont il a retenu l'essentiel sous une forme plus concise : « Il me revient ce mot de Nietzsche que tu aimais : *Mon été chaud, court, mélancolique et bienheureux.* » (23)

Henri Albert, dont André Gide avait salué avec enthousiasme la traduction française des œuvres de Nietzsche, en 1898 (24), écrivait : « Mon cœur où se consume mon été, cet été court, chaud, mélancolique et bienheureux... » (25)

On doit signaler aussi, en marge des récits, deux citations du même genre, l'une de Baudelaire et l'autre de Flaubert. Dans la préface qu'il donna à la version française d'un roman d'Anne Morrow Lindbergh (26), Saint-Exupéry nommait en effet l'auteur des *Fleurs du Mal,* dont il reproduisait fidèlement un vers pour en analyser le contenu poétique : « Le bois retentissant sur le pavé des cours ». (27) Dans le même document, Saint-Exupéry rapporte de plus une réflexion de

Flaubert dont il montre qu'elle exprime la commune mesure de *Madame Bovary* : « Je me souviens du sens, sinon du texte, d'une étrange remarque de Flaubert sur sa propre *Madame Bovary : Ce livre ? J'ai cherché avant tout à y exprimer cette certaine couleur jaune de ces angles de murs où se nichent parfois des cafards.* » (28) Le souvenir lointain de cette citation réapparaît dans *Citadelle* où elle se charge d'une solennité toute sarcastique : « Et si tu laisses se multiplier les cafards, me dit mon père, alors naissent les droits des cafards. Lesquels sont évidents. Et il naîtra des chantres pour te les célébrer. Et ils te chanteront combien est grand le pathétique des cafards menacés de disparition. » (29)

Si les citations font défaut dans les *Œuvres Complètes*, il n'en est pas de même des noms de personnes et d'œuvres dont Saint-Exupéry semble être moins avare quand ils l'aident à illustrer sa propre pensée. (30) Un rapide coup d'œil jeté sur cette liste de noms va nous permettre de tirer quelques conclusions immédiates.

Peu de noms cités renvoient le lecteur à des sources d'inspiration strictement littéraire. La plupart, au contraire, ouvrent des perspectives sur un monde de préoccupations qui tient compte de nombreuses catégories du savoir, et, c'est là l'important, qui tend à associer intimement ces diverses disciplines. Nous y distinguons notamment des noms qu'il est facile de rattacher aux domaines suivants : la littérature, les sciences, la musique, la peinture, la critique de l'art, le merveilleux légendaire, la pensée philosophique et la pensée religieuse. Pour être complète, notre liste aurait dû relever les noms de nombreux aviateurs, amis de Saint-Exupéry, que ce dernier a cités si souvent dans *Terre des Hommes* et dans *Pilote de Guerre*. Si ces noms, tels quels, n'apportent aucun élément vraiment décisif, il en va tout autrement du métier qui les rassemble et qui, lui, joue un rôle déterminant dans l'esthétique du romancier.

Un seul contemporain de l'auteur figure dans cette énumération ; il devra retenir toute notre attention. Il s'agit de M. Léon Werth, un ami de Saint-Exupéry. (31) C'est à lui que l'aviateur adressait symboliquement sa *Lettre à un Otage,* (32) et dédiait son conte, *Le Petit Prince.* (33)

Critique d'art, M. Léon Werth était un ami intime d'Elie Faure. Il publia, entre autres, en collaboration avec Elie Faure, Jules Romains et Charles Vildrac un ouvrage sur *Henri Matisse.* (34)

Le nom du critique d'art (35) nous permet d'évoquer une époque particulièrement importante de la jeunesse de Saint-Exupéry. C'est en 1919 et en 1920 que ce dernier a suivi des cours à l'école des Beaux-Arts. Les biographes de l'écrivain résument d'habitude en deux lignes les quinze mois qu'il consacra à ses études d'art, dans la section d'architecture des Beaux-Arts. (36) En fait, comme *Citadelle* en fait la preuve, cette brève période est capitale dans la vie et dans l'œuvre de Saint-Exupéry. Par la nature de ses préoccupations et de ses études, autour de 1920, le futur écrivain a nécessairement été en contact avec des professeurs, des critiques et des artistes. M. Léon Werth que nous avons interrogé à ce sujet, déclare qu'il ne connaissait pas Saint-Exupéry à cette époque. D'autres amis ou parents de Saint-Exupéry n'ont pu nous aider à élucider une question essentielle d'ordre biographique, à savoir : le jeune étudiant des Beaux-Arts a-t-il connu Elie Faure vers 1920 ? Lui a-t-il été présenté ? A-t-il assisté à des leçons ou conférences du critique d'art ? Ou bien, comme l'affirme M. Léon Werth, l'étudiant d'architecture n'a-t-il jamais rencontré Elie Faure ? (37) La compétence de M. Léon Werth en la matière nous force à croire que le jeune homme n'a connu le critique d'art dont il s'est inspiré que par ses livres et par les transcriptions diverses de conférences données à l'Université populaire « La Fraternelle » ou sous d'autres auspices. (38)

En 1919, Elie Faure terminait sa conférence d'ouverture de l'Université populaire, en affirmant la suprématie de l'esthétique en ces termes : « Une civilisation nouvelle n'est pas plus (...) une conquête de la moralité qu'une aventure pédagogique. C'est un phénomène esthétique. » (39) Nous montrerons plus loin, dans le présent chapitre, et parmi d'innombrables emprunts du même genre, le parti que Saint-Exupéry a su tirer de cette citation et de son contexte, quand il les a réutilisés pour le bénéfice des éducateurs de *Citadelle,* dans le décalogue du chef. (40)

C'est en effet dans les œuvres que l'essentiel apparaît. Et c'est en rapprochant les textes de l'historien de l'art de ceux de son disciple qu'il nous sera possible de mesurer l'importance de l'influence qu'Elie Faure a exercée sur notre romancier.

La pensée de Faure affleure dans certains passages de *Courrier-Sud.* Elle réapparaît dans *Vol de Nuit,* le second récit, dont elle inspire les pages les plus substantielles. Elle triomphe dans de nombreux chapitres de l'ouvrage posthume. Avant d'aborder systématiquement le problème du transfert des valeurs esthétiques de *Citadelle,* il n'est pas inutile de signaler ici les passages les plus significatifs des deux premiers récits, dans lesquels Saint-Exupéry n'a pas hésité à écrire à la manière d'Elie Faure.

Dans *Courrier-Sud,* le romancier consacre déjà un chapitre à la danse et aux danseuses. Au chapitre XII de la deuxième partie, il écrit notamment : « Bernis aimait ce rythme qui les suspendait en équilibre. Un équilibre si menacé mais qu'elles retrouvaient toujours avec une sûreté étonnante. Elles inquiétaient les sens de toujours dénouer l'image qui était sur le point de s'établir, et, au seuil du repos, de la mort, de la résoudre encore en mouvements. C'était l'expression même du désir. » (41)

Dans l'*Arbre d'Eden,* Elie Faure définissait la danse en ces termes : « Si la danse est si près de Dieu, j'imagine, c'est qu'elle symbolise pour nous dans le geste le plus direct et l'instinct le plus invisible le vertige de la pensée qui ne peut réaliser son équilibre qu'à la condition redoutable de tournoyer sans relâche autour du point instable qu'il habite, et de poursuivre le repos dans le drame du mouvement. » (42)

Quelques lignes plus haut, à la même page, Faure avait dit des « pieds » du danseur : « L'un se nomme la connaissance, et l'autre le désir. Et c'est en bondissant de l'un sur l'autre qu'il cherche ce centre de gravité de l'âme que nous ne trouvons jamais que pour le perdre aussitôt. » (43)

Dans *Vol de Nuit,* Saint-Exupéry n'indique pas sa source, mais il donne pourtant au passage essentiel du roman le ton et l'allure d'une réminiscence littéraire. Voici comment il introduit ce passage : « Rivière eut l'obscur sentiment d'un devoir plus grand que celui d'aimer (...) Une phrase lui revint : *Il s'agit de les rendre éternels.* Où avait-il lu cela ? »(44)

Certes, plus d'un penseur avait exprimé cette idée en des termes fort semblables, surtout depuis que Zarathoustra avait proclamé son « nouvel amour », (45) dans la perspective de « l'éternel retour ». (46) Et le chercheur de sources ne pourrait sans doute que partager l'embarras du héros et se demander en vain, lui aussi, où il a bien pu lire cela ! Mais, par bonheur, Saint-Exupéry poursuit et compose un passage étonnant qui nous révèle l'origine de sa réminiscence :

> « Il revit un temple au Dieu du Soleil des anciens Incas du Pérou. Ces pierres droites sur la montagne. Que resterait-il, sans elles, d'une civilisation puissante, qui pesait, du poids de ses pierres, sur l'homme d'aujourd'hui, comme un remords ? « Au nom de quelle dureté ou de » quel étrange amour, le conducteur de peuples d'autrefois, contraignant » ses foules à tirer ce temple sur la montagne, leur imposa-t-il donc de » dresser leur éternité ? » (...) Le conducteur de peuples d'autrefois, s'il n'eut peut-être pas pitié de la souffrance de l'homme, eut pitié, immensément, de sa mort. Non de sa mort individuelle, mais pitié de l'espèce qu'effacera la mer de sable. Et il menait son peuple dresser au moins des pierres, que n'ensevelirait pas le désert. » (47)

Ce texte qui transporte la thèse du roman, reflète en même temps un des principes fondamentaux de l'esthétique d'Elie Faure, (48) dans un style très proche de celui de l'historien de l'art, et en réutilisant les images de ce dernier. Ce principe, Elie Faure l'énonçait ainsi : « Si l'art reste, en fin de compte, quand nous nous retournons sur notre route pour considérer notre histoire, le seul monument durable que nous y laissions... ». (49) Ou encore : « Toute civilisation réelle offre, de loin, un aspect monumental, quelque chose qui demeure dans la durée (...) Hors l'expression lyrique de son émotion, la stylisation poétique, plastique ou musicale de sa sensibilité, un peuple ne laisse rien. L'histoire de l'Egypte, c'est le théorème de pierre (...) qu'elle a mis cinquante siècles à bâtir. » (50)

Quant aux images visuelles que la mémoire inconsciente a l'air de rapporter au héros du roman, on peut les retrouver dans les planches qui figurent des temples égyptiens, péruviens ou mexicains, dans l'un des volumes de l'*Histoire de l'Art* d'Elie Faure, où elles sont commentées dans un style dont Saint-Exupéry s'est pétri : « Un peuple est comme un homme. Quand il a disparu, rien ne reste de lui, s'il n'a pris soin de laisser son empreinte sur les pierres du chemin » (51) ; « Nous empêcherons le sable de le recouvrir tout à fait (...) Avec les montagnes artificielles dont nous avons scellé le désert près de lui » (52) ; « Le désir d'y chercher et d'y façonner l'éternité s'y impose à l'esprit d'autant plus despotiquement que la nature retarde la mort elle-même (...) Et le désir que nous avons de nous survivre lui a fait accorder à son âme l'éternité individuelle dont la durée des phénomènes cosmiques lui donnait la vaine apparence (...) Mais dès qu'elle est capable de tailler son empreinte dans une matière extérieure, la pierre, le bronze (...) elle acquiert cette immortalité relative qui dure ce que dureront les formes... » (53)

Le « conducteur des peuples » dont se souvenait Rivière porte, lui aussi, le sceau bien caractéristique d'Elie Faure qui employait souvent cette expression collectiviste ; il justifiait l'étrange amour des « conducteurs de peuples » (54) en disant : « Il faut bien se représenter que la force seule est morale... » (55)

Cependant, des réminiscences ne suffiraient pas à établir ou à prouver ce que nous avons appelé le triomphe de l'esthétique fauréenne dans la pensée et dans les œuvres de Saint-Exupéry. Et si le poème posthume de l'aviateur n'avait pas été publié par ceux qui avaient la garde du manuscrit, il nous eût sans doute été plus difficile d'évaluer cette influence. Mais *Citadelle* nous permet de saisir avec quel enthousiasme Saint-Exupéry a non seulement partagé, mais aussi prolongé le grand rêve esthétique de l'historien de l'art. Peu de disciples ont assimilé les enseignements d'un maître avec autant de zèle et de fidélité.

A son échelle, *Citadelle* ressemble étrangement à l'*Histoire de l'Art* d'Elie Faure, que des critiques ont justement appelée « une sorte de poème à propos de l'histoire de l'Art. » (56) C'est en effet une véritable épopée esthétique de l'humanité qu'Elie Faure a composée ; il y a fondu les résultats de recherches incessantes, menées dans tous les domaines où son savoir encyclopédique lui permettait d'accéder. Il aimait à appeler son œuvre « l'édifice que j'ai tenté de bâtir et qui représente trente années de méditation. » (57) Son disciple, à son tour, a projeté cette architecture spirituelle sur l'écran du rêve d'une civilisation à venir dont il s'est instauré le créateur et le chef, mais dont un « père » anonyme a cependant jeté les bases : « Car je suis le chef (...) je tire cette civilisation semblable au palais de mon père (...) Voici qu'ils aiment la maison que j'ai inventée selon mon désir. Et à travers elle, moi, l'architecte (...) Et si j'ai su bâtir ma demeure assez vaste pour donner un sens jusqu'aux étoiles (...) Et si je la bâtis assez durable pour qu'elle contienne la vie dans sa durée (...) Citadelle !... Navire des hommes, sans lequel ils manqueraient l'éternité (...) Afin de les sauver de génération en génération, car je n'embellirai point un temple si je le recommence à chaque instant. » (58)

Cette fois, il n'y a plus de doute : Rivière était le précurseur du chef de *Citadelle* qui en poursuit la mission : tirer un temple qui fixe une civilisation dans la pierre, dans la durée, et bâtir pour façonner l'éternité des hommes, les termes architecturaux sont les mêmes chez Elie Faure, dans la mémoire de Rivière et dans les visions du chef de *Citadelle* ; et qui plus est, le thème philosophique est le même : rendre l'homme éternel.

Le mot « citadelle » apparaît plusieurs fois sous la plume d'Elie Faure. Mais il est un endroit où le vocable est utilisé selon une acception figurée qui s'applique très exactement au poème posthume de Saint-Exupéry. On peut lire dans un essai de Faure sur Pascal dont nous reparlerons ailleurs, ce passage curieux : « L'étrange, c'est que Pascal (...) témoigne d'une morale libre (...) toutes les fois qu'il ne voit pas par où l'esprit de finesse pourrait se glisser dans la citadelle que son esprit géométrique a construite, et en faire éclater le mur. » (59) Mettant à profit les enseignements de son père, le chef de *Citadelle* dit, lui aussi : « Demeure des hommes, qui te fonderait sur le raisonnement ? Qui serait capable, selon la logique, de te bâtir ? » (60) Ou encore : « Citadelle, je te construirai dans le cœur de l'homme. » (61)

Cette *Citadelle* va maintenant nous permettre de mesurer l'importance des quinze mois que Saint-Exupéry a passés aux Beaux-Arts et celle de l'ascendant que les ouvrages d'Elie Faure ont pris sur le poète-architecte, tandis qu'il composait son testament esthétique, de 1938 à 1944.

Dès les premiers chapitres, Saint-Exupéry proclame la primauté d'une conception *esthétique* de la culture, sans avoir jamais recours à cet adjectif pour définir sa pensée. Il n'est question dans *Citadelle* que d' « âmes belles », d' « âmes nobles », d' « âmes fières » ; (62) « Mais toi tu pars d'un point de vue moral qui n'a point à faire dans ton aventure... » (63)

Aux yeux d'Elie Faure, une civilisation nouvelle était « un phénomène esthétique » (64) ; « Et qu'est-ce que la morale a donc à voir là-dedans ? » (65)

Pour illustrer cette conviction, l'auteur de *Citadelle* imagine qu'il a convoqué ses « gendarmes » (66) ; il dit à l'un d'eux, qui est un ancien « charpentier » : « Toi je te destitue !... Je te renvoie à tes charpentes, de peur que ton amour de la justice, là où elle n'a que faire, ne répande un jour le sang inutile. » (67) C'est évidemment du Christ qu'il s'agit, de ce « Juste » dont Elie Faure n'avait pas hésité à faire, lui aussi, un « gendarme » (68), et dont il avait dit, d'autre part, qu'il avait ouvert « vingt siècles de carnage » [69], qu' « il sait qu'il apporte la guerre » [70] et qu' « il a lâché des torrents de sang ». [71]

A ses éducateurs, c'est encore une leçon d'esthétique fauréenne que Saint-Exupéry donne dans le célèbre décalogue de *Citadelle.* L'origine de plusieurs des dix commandements nouveaux, c'est dans les ouvrages d'Elie Faure qu'il faut la chercher, en particulier dans le texte imprimé de la Conférence que nous avons déjà citée et qui s'intitulait : *L'Art et le Peuple.* Nous en extrayons quelques lignes parmi cent autres qui permettraient d'aboutir à la même conclusion :

« Et vous prétendez en nourrir l'organisme qui s'ébauche devant nous ? Autant offrir de la viande pourrie à l'appétit d'un nouveau-né. L'art ne se renouvelle pas par l'éducation. Il en meurt, au contraire (...)

» Une civilisation (...) c'est quelque chose de vivant. Ne tentez pas d'enseigner au peuple des formules mortes. Demandez-lui, bien au contraire, le secret des formes vivantes que recèlent ses profondeurs. » (72)

« C'est pourquoi j'ai fait venir les éducateurs et leur ai dit :

» — Vous n'êtes point chargés de tuer l'homme dans les petits d'hommes...

» — Vous ne les comblerez point de formules qui sont vides, mais d'images qui charrient des structures.

» — Vous ne les emplirez point d'abord de connaissances mortes. » (73)

C'est au vocabulaire d'Elie Faure que Saint-Exupéry a emprunté nombre de ses mots-clés. Seul diffère, le plus souvent, le contexte poétique au sein duquel le mot prend vie chez l'un et chez l'autre : le lyrisme d'Elie Faure est fougueux, spontané et souvent débridé, celui de Saint-Exupéry est discret, apprêté et plus noble. Et c'est à partir de l'image — le mot tel que l'utilisent les deux auteurs — que nous voudrions maintenant énumérer les principales valeurs esthétiques fauréennes que Saint-Exupéry a adoptées et intégrées dans *Citadelle* et dans certains récits.

Le poème. — Elie Faure a très souvent employé ce mot selon sa signification étymologique de « création », [74] ou bien pour caractériser une œuvre lyrique qui utilise le langage écrit comme mode d'expression (vers ou prose). Au sens le plus large, il a souvent pris ce vocable comme synonyme de « civilisation », l'art étant, par définition de principe, ce qui subsistera de cette civilisation. De plus, il a toujours tendu à associer les différents modes de la création artistique : « Une civilisation (...) est dans son ensemble un poème que le temple ou la statue ou la symphonie résument... » (75)

Saint-Exupéry attribue une valeur identique aux mots « civilisation », « poème » et « création ». Il n'hésite pas, lui non plus, à affirmer l'équivalence des divers moyens d'expression artistique : « Or cet acte est poème ou pétrissement du sculpteur ou cantique ».(76) De son œuvre posthume qu'il appelle parfois un « poème », il dit d'autre part : « Moi je bâtis ma civilisation, épris du seul goût qu'elle aura, comme d'autres bâtissent leurs poèmes... » (77)

Le poète. — Elie Faure a utilisé ce terme, comme le précédent, tantôt selon son sens étymologique de « créateur », (78) tantôt pour l'appliquer plus spécialement au littérateur. Il a parfois identifié le poète et le conducteur d'hommes ou de peuples ; il a vu dans le poète « le juste », (79) « le héros », (80) « le chef », (81) etc.

Saint-Exupéry a retenu la signification générale du mot « créateur », (82) mais il a surtout nommé « poète » celui qui crée par le truchement du langage écrit. Quant au chef de *Citadelle*, il apparaît investi de tous les attributs culturels du meneur d'hommes d'Elie Faure. Certaines pages du testament littéraire de l'aviateur présentent d'étranges variations sur le thème fauréen (et nietzschéen, à l'origine) du créateur : « Car je suis le chef... Je suis le chef. Je suis le maître. Je suis le responsable (...) Voici qu'ils aiment la maison que j'ai inventée selon mon désir. Et à travers elle, moi, l'architecte... » (83) ; « On m'a surnommé le juste. Je le suis. » (84) Quant au « héros », c'est là un terme que le chef de *Citadelle* n'applique jamais à lui-même et qu'il réserve aux subalternes de sa civilisation idéale : « Si je fais mourir je ferai déclarer la guerre par des héros. » [85] Et c'est d'ailleurs cette mission particulière qu'Elie Faure avait confiée à ses propres héros, quand il les avait appelés « Semeurs de guerre ». [86]

Aux yeux d'Elie Faure, le grand poète était celui qui refusait de dissocier l'action et la pensée : « Héraclite (...) fut un bien trop grand poète pour faire un choix définitif entre l'action et la pensée (...) entre le rêve et la réalité... » [87] Comme l'historien de l'art, Saint-Exupéry écrit : « Car m'ont toujours semblé puérils ou aveugles ceux qui distinguent la pensée de l'action. S'en distinguent les idées qui sont pensées en objets de bazar. »[88] Un « article de bazar », [89] dans le langage d'Elie Faure, signifiait une œuvre d'art sans unité.

Le critique d'art et l'auteur de *Citadelle* ont insisté pareillement sur l'indissolubilité de l'acte et de la pensée, dans la nature du poète et dans son expression artistique. Ils ont tous deux conféré un caractère hautement créateur et sacré à la grande action aventureuse. Pour Faure, « l'action par le verbe ou le geste (...) ne diffère du poème que par la langue qu'elle parle. » [90] Pour Saint-Exupéry, le « poème parfait » serait celui « qui résiderait dans les actes... » [91] Un principe de style s'énonce comme suit : « N'oublie pas que ta phrase est un acte. »[92] Il évoque nécessairement un dogme fauréen qui proclamait : « L'art, qui est une façon de parler, est aussi une façon d'agir... » [93]

En résumé : selon Elie Faure et Saint-Exupéry, la fonction du poète ou du créateur consiste à traduire la vie dans tous ses aspects et au fil de son évolution incessante. Quand il est fidèle à ce principe absolu, l'artiste crée, modifie, continue à créer l'univers envisagé comme un tout en gestation perpétuelle. Autrement dit, les « créateurs » poursuivent et visent à l'achèvement de l'œuvre incomplète du « Créateur ». Ici encore, les mots et les symboles de Saint-Exupéry coïncident avec ceux de Faure.

Le devenir. — Sur les pas de Nietzsche et à la lumière des enseignements de Bergson, Elie Faure considérait l'univers, non dans l'optique d'une révélation métaphysique, mais dans celle d'un devenir scientifique : « une éternelle genèse ». (94) Ainsi, « le poète est celui qui (...) poursuit comme une seule forme qui fuit (...) et se confond avec l'éternel devenir. » (95)

Saint-Exupéry s'est approprié cette notion fondamentale : « la genèse n'est point achevée... » (96) ; « Il n'est jamais que perpétuelle naissance » (97) ; « Alors seulement je suis créateur et vrai poète. Car le créateur (...) est celui qui fait devenir. » (98)

La danse. — La danse est le symbole le plus expressif du devenir ; le danseur et la danseuse sont d'authentiques créateurs, dans l'esprit du maître comme dans celui de son disciple.

Selon le critique d'art, la danse est la forme d'art lyrique la plus rudimentaire mais aussi la plus apte à « traduire la vie » (99) dans son incessante mobilité. Elie Faure a surtout considéré la danse comme une activité collective qui sert à extérioriser des rythmes intérieurs, irrépressibles, dans les communautés humaines de tous les temps et de tous les pays. Il a vu dans le phénomène collectif de la danse une invitation à laquelle les individus n'ont pas la faculté de résister, quelles que soient leurs aptitudes physiques ou leur réceptivité rythmique. Il écrivait : « ... enseignant toujours la danse et ne sachant pas danser, ignorant qu'il ne faut pas toujours dire : dansons ! mais qu'il faut danser quand vous en vient l'envie, et qu'un danseur, ça se repose, ça pleure souvent de fatigue et que même parfois, ça se maudit de danser ? » (100) Il évoquait souvent des scènes frénétiques de « danse où prennent part toutes les femmes, tous les hommes, tous les enfants de la tribu. » (101)

Les danseuses du premier roman de Saint-Exupéry se maudissaient de danser, elles aussi : « Et celle-ci uniquement occupée de sa jambe qui lui faisait mal et celle-là d'un rendez-vous... après la danse. Et celle-là qui pensait : Je dois cent francs... Et l'autre peut-être toujours : J'ai mal. » (102) Quant à la ferveur collective, Saint-Exupéry l'a célébrée dans plusieurs chapitres de *Citadelle* où il place la danse sous le signe d'une « grande ferveur » : « J'ai vu les danseuses composer leurs danses (...) La danse passe comme un incendie. Et cependant je dis civilisé le peuple qui compose ses danses malgré qu'il ne soit pour les danses ni récolte ni greniers.» (103) Et ce passage où il paraphrase Elie Faure : « Et la belle danse naît de la ferveur à danser. Et la ferveur à danser exige que tous dansent — même ceux-là qui dansent mal — sinon il n'est point de ferveur mais académie pétrifiée. » (104)

Les contradictions. — Si l'idéal consiste à traduire la vie dans son devenir et à se soumettre à son rythme, la réalité n'en cesse pas moins de dresser des obstacles sur les voies du créateur. Ces difficultés, l'artiste doit les accepter ; il en fait les conditions de son art.

Considérée sous l'angle du devenir, la vie, pour Elie Faure, est « un vaste système esthétique qui maintient un équilibre précaire entre ses tendances divergentes... ». (105) La vie n'a pas de sens, ou bien, si elle doit en avoir un, ce ne peut être que celui qui lui est donné par l'élan créateur qui la traverse et que l'artiste s'efforce de capter pour le traduire dans son œuvre, « par-delà le Bien et le Mal, par-delà le Beau et le Laid, par-delà le Vrai et le Faux. » (106) En quelque sorte, le créateur donne, impose un sens à la vie, en la faisant passer dans son œuvre ; au terme de ses efforts, dans un absolu qu'il recherche passionnément mais n'entrevoit que dans la mort, le créateur rêve d'une harmonie et d'une unité idéales. Cette tentative désespérée, Elie Faure la définissait ainsi : « L'effort que l'homme tente pour concilier dans son œuvre les contradictions que lui révèle le chaos des apparences, définit l'effort qu'il tente pour concilier dans son cœur les contradictions qu'y fait naître le chaos des sentiments. » (107) L'arme dont l'artiste dispose pour « abolir les contradictions » (108) est le lyrisme conçu comme l'expression la plus pure de la vie ascendante.

L'auteur de *Citadelle* a adopté ces points de vue ; son

œuvre posthume n'est-elle pas une vaste tentative de résoudre des contradictions ? En voici quelques-unes que Saint-Exupéry semble avoir abolies dans l'esprit et à la manière de l'historien de l'art : « Ayant bien découvert qu'il n'est rien qui soit faux pour la simple raison qu'il n'est rien qui soit vrai (et qu'est vrai tout ce qui devient comme est vrai l'arbre)... » (109) ; « Et parce qu'il m'est impossible de peser le bien et le mal et que je risque pour extirper le mal d'envoyer le bien à la fournaise... » (110) ; « Regardez-moi ça, comme c'est beau, cette laideur qui repousse l'amour... » (111) Pour le disciple comme pour son maître, les vérités coexistent sans s'exclure, au-delà des critères habituels ; l'artiste ne crée vraiment que s'il accepte ces contradictions et s'efforce de les absorber, de les surmonter : « Et toujours il s'agit, si l'on crée, d'absorber des contradictions (...) Tout est, tout simplement. » (112) ; « Car sache que toute contradiction sans solution (...) t'oblige de grandir pour l'absorber » (113) ; « Et une à une, de contradiction dominée en contradiction dominée, je m'achemine vers le silence des questions et ainsi la béatitude. » (114)

Les relations. — Si « tout est », par delà les contradictions qu'il faut absorber, il importe de tendre vers ce tout ; on s'en rapproche à mesure que l'on découvre les analogies et les relations qui unissent les choses les unes aux autres.

Elie Faure concevait l'art à partir d'un besoin de synthèse et dans la perspective d'une unité absolue. De plus, il estimait qu'on ne pouvait jamais atteindre la chose en soi. Dans son introduction à l'*Histoire de l'Art*, il définissait l'art comme un vaste « système de relations » (115) hors duquel il ne reconnaissait aucune raison d'être. (116) Le progrès artistique, le seul que retenait le critique, consistait à discerner et à énoncer toujours plus de rapports. Au terme idéal de sa démarche créatrice, Elie Faure entrevoyait « un système de relations qui donne à la vie universelle l'apparence d'un monde bâti comme un raisonnement. » (117) L'art devait donc déchiffrer l'analogie universelle ; il disposait à cette fin de la plus scientifique des facultés, l'imagination. (Elie Faure n'hésitait pas à citer Baudelaire...)

Saint-Exupéry a adopté ces principes dans les termes dont Faure se servait pour les formuler ; physicien, il y a ajouté des vocables du métier tels que « structure », « relativité ». Il écrit dans *Citadelle* : « Car certes tu t'exprimes par des relations. Et tu fais retentir les cloches les unes sur les autres (...) Et je t'ai dit qu'il fallait des objets reliés. » (118) De tout être, de chaque objet et de Dieu, il affirme qu'ils sont des « nœuds de relations ». (119) Pour définir la synthèse absolue qu'il envisageait dans la perfection idéale, il spécifiait, en 1942, dans une lettre à un physicien, qu'il pensait à un absolu « qui n'autorise (...) aucun vertige métaphysique (...) et n'a aucune incidence sur l'absolu métaphysique. » (120) Il expliquait en même temps le mot « relativité » de cette manière : « Il signifie simplement qu'il y a relation entre... » (121) Et c'est sur ce concept qu'il fondait sa « démarche vers l'universel » (122) en constatant qu'elle lui permettait de simplifier l'univers en lui faisant découvrir toujours plus de relations entre les choses : « J'aurai simplifié l'univers puisque j'aurai identifié des phénomènes en apparence très dissemblables. » (123) Nous montrerons, au deuxième chapitre de ce travail, comment Saint-Exupéry a su tirer parti de ces notions scientifiques et esthétiques pour les appliquer au style littéraire et à l'image poétique. Qu'il nous suffise, pour l'instant, d'énoncer les principes et de constater les liens de parenté qui unissent la pensée de Saint-Exupéry à celle d'Elie Faure ; les deux textes suivants sont tout aussi éloquents, à cet égard, que des documents d'ordre biographique :

« La science, pas plus que l'art — et moins que lui, j'imagine — n'atteint « la chose en soi ». Elle établit entre « les choses », des rapports. » (124)

(s) Elie Faure.

« Ce que l'on peut prétendre saisir et traduire et transmettre du monde extérieur ou intérieur, ce sont des rapports. Des « structures », comme diraient les physiciens. » (125)

(s) Saint-Exupéry.

L'unité. — Selon le critique d'art et le romancier, en dernière analyse, la création artistique est une opération de langage, intuitive et tendant vers l'unité. Tous deux prennent le mot « langage » dans son acception la plus large : moyen de communication.

Pour bien faire comprendre que cette opération s'accomplit en dehors des voies de la logique, ils ont recours, l'un et l'autre, à l'exemple du géomètre. Aux yeux de Faure, le vrai géomètre est celui qui, pour trouver sa vérité, doit « faire appel à l'intuition synthétique » (126) ; du « seul géomètre véritable » de *Citadelle,* Saint-Exupéry dit à son tour : « Car ce n'est jamais la raison qui a guidé le seul géomètre véritable, mon ami. » (127)

Voici comment l'historien de l'art et le romancier de *Terre des Hommes* ont encore illustré en des termes similaires, des notions identiques :

« ... à Euclide, à Descartes, à Newton, à Kepler. (...) Ils ont, pour s'exprimer, imaginé des signes matériels et suggéré des images... » (128)

(s) Elie Faure.

« La vérité, c'est le langage qui dégage l'universel. Newton n'a point « découvert » une loi longtemps dissimulée à la façon d'un rébus. Newton a effectué une opération créatrice. Il a fondé un langage... » (129)

(s) Saint-Exupéry.

Pour les deux écrivains, la vérité est ce qui simplifie le monde en multipliant les relations entre les choses. Tous deux tendent à concilier le raisonnement analytique et l'intuition synthétique, et parviennent ainsi « au seuil de la pensée de Baudelaire, où l'apparente antinomie entre l'art et la science est résolue en quelques mots : L'imagination est la plus scientifique des facultés, parce que seule elle comprend l'analogie universelle ». (130)

Pour souligner l'unité essentielle de la création obtenue par la fusion des facultés intuitives et des pouvoirs rationnels, Elie Faure disait : « Idéaliste ou réaliste (...) que l'œuvre vive, et pour vivre, que l'œuvre soit *une,* d'abord ! » (131) Et c'est la même conviction que Saint-Exupéry exprimait quand il établissait le dogme suivant : « Car la création est une. » (132)

Elie Faure a exercé une influence considérable sur Saint-Exupéry ; il a transmis à ce dernier les principes fondamentaux de son esthétique générale. C'est ce que nous avons essayé d'établir et d'illustrer dans les pages qui précèdent. Ce n'est pas tout. En effet, à côté de cet ascendant substantiel, on peut relever de multiples emprunts de langage, de vocabulaire techniques. Ceux-ci sont moins importants, sans doute ; mais ils permettent de préciser le sens particulier que l'auteur de *Citadelle* a attribué à quelques-uns des mots de son vocabulaire esthétique.

Deux des termes dont il importe de déterminer la signification exacte, dans le langage de Saint-Exupéry en même temps que dans celui d'Elie Faure, sont : *Dieu* et *divin.*

On a dit de l'ouvrage posthume de l'aviateur qu'il révélait une longue et patiente recherche de Dieu. (133) Le tout est de s'entendre sur la nature de ce Dieu. De quel Dieu s'agit-il donc ? Dans la mesure où cette recherche intime nous est humainement accessible et pénétrable, il nous faut maintenant relire les textes et circonscrire l'objet idéal de la pensée de Saint-Exupéry pour essayer d'en préciser l'essence et les attributs.

Dans la majeure partie de son dernier ouvrage, l'écrivain a visé à un Dieu qu'il entrevoyait au terme du devenir. Et c'est cette conception originelle qu'il s'est efforcé de réconcilier avec la notion d'un Dieu personnel et de Grâce, aux dernières pages de *Citadelle.*

Ici encore, l'influence d'Elie Faure nous permettra de mieux comprendre la position de son disciple. Mais il faut signaler au préalable, par-delà la communauté de pensée qui lie les deux hommes, une divergence essentielle qui concerne le développement de cette pensée.

Elie Faure était d'origine protestante ; en 1900, il présenta à la Faculté de théologie de Montauban une thèse intitulée :

La Sagesse divine dans la littérature didactique des Hébreux et des Juifs. Point de départ assez surprenant chez un homme qui allait un jour renoncer au Christ et se tourner vers Zarathoustra ! Saint-Exupéry a-t-il pris connaissance de ce document ? Rien ne le prouve. Il est cependant curieux de constater que l'auteur de *Citadelle* cherche, lui aussi, « la sagesse » ou « la sagesse divine ». (135) Mais, alors qu'Elie Faure s'est livré à cette recherche pendant sa jeunesse et avant de renier ses convictions chrétiennes, Saint-Exupéry, lui, semble s'y être voué tout spécialement dans les dernières années de sa vie. A la différence de son maître qui a abouti à une conception esthétique du monde, le disciple est parti de ce point de vue et s'est efforcé de l'allier avec des aspirations qui lui ouvraient parfois, pendant de brefs moments, une espèce de paradis de Grâce.

Cependant, sa thèse achevée, Elie Faure se tournait vers l'art et il allait continuer à parler de « Dieu » et du « divin », mais selon des acceptions nouvelles qu'il nous incombe d'examiner ici en relation avec l'ouvrage posthume de son disciple.

Chez les deux hommes de lettres, « Dieu est » ; il faut s'élever jusqu'à Lui.

Elie Faure écrivait : « Dieu est, je n'en doute plus maintenant. Mais c'est un sourd et un aveugle. L'homme est le seul, dans l'univers, qui, par éclairs, voit et entend. L'esprit saint ne descend pas de Dieu pour animer le cœur de l'homme. L'Esprit saint monte de l'homme pour animer le cœur de Dieu. » (136)

Saint-Exupéry a, lui aussi, défini son Dieu : « Lui qui Est ». (137) De cet Etre suprême, il a dit entre autres : « Et tu ne pourras me le nier puisque simplement il sera, comme est la mélancolie dans le visage si je l'ai sculptée. » (138) C'est également une divinité muette qu'il a adorée : « Te louant, cependant, Seigneur, de ce que tu ne réponds point... » (139) Dans les derniers chapitres de *Citadelle,* même là où il est le plus évident que l'auteur a aspiré de tout son être à connaître un Dieu de Grâce et de Révélation, la notion fauréenne du divin a subsisté : « Si tu faisais vers l'homme, gratuitement, le pas d'archange, l'homme serait accompli. Il ne scierait plus, ne forgerait plus, ne combattrait plus, ne soignerait plus. » (140) C'est encore cette même notion de Dieu qu'il illustre par l'image conventionnelle du devenir, celle de l'arbre, en la réconciliant, apparemment, avec une conception nettement chrétienne, dans le texte suivant : « Je vais à toi à la façon de l'arbre qui se développe selon les lignes de force de sa graine (...) Seigneur, je vais à toi, selon ta grâce, le long de la pente qui fait devenir. » (141)

En général, Saint-Exupéry a, lui aussi, utilisé le mot « divin » pour désigner une démarche d'accomplissement qui part de l'homme et qui tend vers Dieu. Est divin, le plus souvent, ce qui s'élève vers Dieu ou ce qui est Dieu, et rarement ce qui pourrait venir de Lui. La création est divine parce qu'elle s'efforce vers l'absolu de synthèse et parce qu'elle est tournée vers la perfection idéale. Elle est d'autant plus divine qu'elle établit plus de rapports entre les choses. C'est ce que Saint-Exupéry a bien expliqué en ce qui concerne le style littéraire, par exemple, quand il écrivait : « Pour m'émouvoir il faut me nouer dans les liens de ton langage et c'est pourquoi le style est opération divine (...) Car une divinité exprime une certaine relation entre des qualités dont les éléments ne sont pas neufs mais le sont devenus en elle. » (142)

L'image. — Comme les deux vocables étudiés plus haut, ce terme revêt des significations particulières sous la plume de Saint-Exupéry.

L'écrivain a réuni, dans ce mot, des notions qu'il s'est acquises à la lecture de certains poètes, des éléments qu'il a empruntés au critique d'art, et des valeurs toutes personnelles. L'analyse de « l'image poétique » proprement dite fait partie de notre deuxième chapitre ; mais il importe, dès maintenant, de dégager l'apport fauréen dans ce domaine.

Elie Faure avait établi une certaine équivalence entre les mots : image, symbole, idole et métaphore. Dans la lignée des symbolistes, il y voyait autant d'étiquettes diverses s'appliquant à un seul concept : la clé qui donne accès à une réalité invisible. La beauté poétique d'une association de mots intéressait peu Elie Faure ; ce qu'il retenait d'une image, c'était le contenu culturel dont elle était chargée. Dans le cadre de l'analogie universelle et des systèmes de correspondances, Elie Faure avait élevé le symbole au rang d'idole civilisatrice. Il croyait à la nécessité sociale des signes visibles d'une réalité surnaturelle. Il avait consacré un chapitre de *L'Esprit des Formes* à célébrer la poésie de la connaissance, et un autre à exalter la puissance de l'idole. Il considérait cette idole comme un signe nécessaire, parce qu' « accessible, d'une perfection inaccessible qui demande des intermédiaires» (143) ; «L'esprit, pour accroître sa force et la communiquer, a partout cherché des symboles matériels qui la rendent plus sensible (...) Elle est la civilisation même. Elle est le plus universel des langages. » (144)

Saint-Exupéry s'est nourri de ces vues. Il dit dans *Terre des Hommes* déjà : « La vieille paysanne, ainsi, ne rejoint son dieu qu'à travers une image peinte, une médaille naïve, un chapelet : il faut que l'on nous parle un simple langage pour se faire entendre de nous. » (145) Et dans *Citadelle*, il parle, lui aussi, de l'idole, (146) très souvent du dieu ou de la divinité, le plus souvent encore, simplement, de l'image considérée comme matière d'échange : « Car il n'est de communication qu'à travers le dieu qui se montre. » (147) Et de l'image, du symbole « qui devient », il fera lui aussi « une civilisation » où il voudra enfermer son peuple. (148)

Quiconque lit *Citadelle* ne peut manquer d'y relever d'autres mots-clés que l'auteur emploie sans compter et auxquels il donne un sens particulier dans son vocabulaire esthétique. On y rencontre, notamment, des termes d'architecture. Ces termes, il est possible que l'écrivain les ait conservés de son passage aux BeauxArts. Il est plus probable qu'il en a glané les principaux parmi les ouvrages d'Elie Faure qui les distribuait généreusement.

La gangue. — Ce mot revient constamment sous la plume des deux auteurs. Un biographe du romancier nous fait savoir que ce dernier utilisait le terme pour désigner ses premières rédactions : « Il appelait sa *gangue* ses premiers brouillons, réduits ensuite de moitié pour atteindre leur forme définitive... » (149) Appliquant ce vocable au roman d'Anne Lindbergh, Saint-Exupéry demande : « Tout ça c'est de la gangue, quel visage en a-t-elle tiré ? » (150) Il décrit un poète de *Citadelle* « brassant et rebrassant sa gangue ». (151) Dans *Terre des Hommes*, il voit dans l'avion moderne qu'il compare au poème achevé « une forme parfaitement épanouie, enfin dégagée de sa gangue. » (152) Il s'agit donc bien d'un mot auquel Saint-Exupéry a tenu, tout spécialement, et qu'il a conservé pendant toute sa carrière littéraire, depuis son premier roman. (153)

Dès 1920, Elie Faure voyait dans l'art une force irrépressible « qui brise la gangue artificielle » (154) où la morale prétendait l'enfermer. Dans le quatrième volume de son *Histoire de l'Art*, le critique n'avait pas renoncé à cette image. Et en 1927, l'expression triomphait dans le style lyrique d'Elie Faure qui l'employait sans compter, au point de la faire figurer deux fois dans une même phrase. (155)

En vrac. — Elie Faure utilisait ce terme de marine et de commerce en matière d'architecture également ; il en tirait parfois des effets peu raffinés qu'il destinait à traduire ses élans passionnés : « ... cadavres coupés en morceaux ou entassés en vrac comme des torchons ou des pierres... » (156)

L'auteur de *Pilote de Guerre* s'est approprié le sens figuré de l'expression : « Il n'était rien ce matin qu'une armée démantibulée, et une foule en vrac. Mais une foule en vrac, s'il est une seule conscience où déjà elle se noue, n'est plus en vrac. Les pierres du chantier ne sont en vrac qu'en apparence, s'il est, perdu dans le chantier, un homme, serait-il seul, qui pense cathédrale. » (157)

Clef de voûte. — Là encore, c'est le terme d'architecture qu'Elie Faure orthographiait différemment : « clé de voûte » (158), et que nous retrouvons dans les ouvrages de Saint-Exupéry selon un sens très souvent figuré. (159)

On n'a pas signalé l'origine ni le rôle de ces divers termes techniques dans les livres de Saint-Exupéry. On s'est contenté d'y reconnaître des mots qui donnent à la langue du romancier une saveur particulière, une robustesse qui coïncide souvent avec la qualité du message. Et pourtant, ce n'est pas par hasard que ces mots sont entrés dans les œuvres et que celles-ci ont abouti au poème architectural de *Citadelle.* Saint-Exupéry a vu, dans l'architecture, à travers les textes de Faure, la forme d'art de l'avenir : « Il y a encore, il y aura encore des peintres, beaucoup de peintres. Mais la peinture est finie (...) Et elle ne peut se transformer qu'en cédant à l'architecture même la fonction d'édifier l'abri commun que tous les grands individus aperçoivent à l'extrémité des avenues qu'ils ont suivies séparément. » (160) Comme son maître dont nous venons de citer la croyance, Saint-Exupéry a reconnu dans l'architecture (physique et spirituelle) un rythme collectif qui devait succéder à l'individualisme de notre époque.

C'est dans *Citadelle* que Saint-Exupéry a mis à profit les leçons de Faure avec le plus de fidélité et d'audace ; une version postérieure ou définitive du manuscrit eût sans doute dissimulé les sources et effacé les empreintes. Mais même alors, ces enseignements auraient pu être suivis jusqu'à leur origine. En effet, Saint-Exupéry les a véritablement incarnés dans des personnages allégoriques qu'il a créés pour répondre à des besoins de dialectique dans une œuvre qui n'en est pas moins un long monologue.

Ces personnages sont, en général, des ombres projetées de la pensée de l'auteur qui leur confie ses aspirations les plus profondes, ses antipathies et ses dégoûts et, le plus souvent, les diverses contradictions qu'il s'efforce d'absorber. Mais, par delà ce contenu d'expériences personnelles, on redécouvre les grands thèmes de l'esthétique fauréenne tels que l'auteur de *Citadelle* les a assimilés.

Ceux de ces personnages qui sont redevables d'une bonne partie de leur identité à Elie Faure, sont les figures principales de l'ouvrage : l'ennemi bien-aimé, le géomètre véritable, les gendarmes et, le plus important après le chef, le père.

L'ennemi bien-aimé.

Après Nietzsche, Elie Faure avait établi la guerre et le drame biologique comme conditions de la civilisation et de l'art : « Le jour où ceux qui aiment la paix comprendront la grandeur que peut revêtir la guerre... » (161) C'est la même idée qu'il avait exprimée quelques années plus tôt en disant des civilisations les plus hautes et les plus durables, qu'elles étaient celles qui avaient « accepté résolument le drame comme moyen de développement et de conquête d'elles-mêmes. » (162)

Dans *Vol de Nuit*, Saint-Exupéry adoptait déjà ce principe :

> « Mais il n'y a pas de paix. Il n'y a peut-être pas de victoire. Il n'y a pas d'arrivée définitive de tous les courriers. (163)
> » ... une action se nouait dans le ciel comme un drame. (164)
> » ... et lui, qui ne vivait que pour l'action, une action dramatique, sentait bizarrement le drame se déplacer, devenir personnel (...) une vie (...) quelquefois lourde aussi de drames... (165)
> » Une fissure dans son œuvre avait permis le drame, mais le drame montrait la fissure, il ne prouvait rien d'autre. » (166)

Dans la conclusion de son roman, Saint-Exupéry proclamait encore : « Victoire... défaite... ces mots n'ont point de sens (...) Une victoire affaiblit un peuple, une défaite en réveille un autre (...) L'événement en marche compte seul. » (167) Les autres livres de l'aviateur ont réaffirmé cette conviction. Parmi de nombreux autres passages, on peut citer ces deux textes de *Pilote de Guerre* et de *Citadelle*, successivement : « Défaite... Victoire... Je sais mal me servir de ces formules.

Il est des victoires qui exaltent, d'autres qui abâtardissent. Des défaites qui assassinent, d'autres qui réveillent. La vie n'est pas énonçable par des états, mais par des démarches... » (168) ; « ... et comment saurais-tu t'exprimer quand victoire signifie pour toi sa défaite et signifie pour lui sa victoire ? » (169)

Saint-Exupéry paraphrasait de la sorte Elie Faure qui écrivait dans *La Danse sur le feu et l'eau* : « Victoire, défaite (...) qu'importe ! (...) Le drame est tout, et l'occasion du drame n'est rien. Tout n'est qu'apparence ou détail, hors le fait que le drame est là. » (170) Au chapitre intitulé « La Tragédie, Mère des Arts » de ce même ouvrage, Elie Faure montrait encore que « suivant le hasard des circonstances », chez l'agresseur ou l'attaqué, « l'un ou l'autre profite spirituellement de la guerre, ou tous les deux. » (171)

Ayant ainsi exprimé la contradiction de langage qui oppose les termes de victoire et de défaite, et convaincu de la nécessité du drame, Saint-Exupéry a créé dans sa citadelle un personnage allégorique dans lequel il a réconcilié les deux notions que d'autres estiment incompatibles : la guerre et l'amour.

On a pu croire que « l'ennemi bien-aimé » du livre posthume figurait un des enseignements du Christ : « Aimez vos ennemis, bénissez ceux qui vous maudissent, faites du bien à ceux qui vous haïssent... » (Matth. V:44) (172) Et certes, c'est bien une forme de l'amour que le chef de *Citadelle* éprouve envers son ennemi ; mais cet amour se fonde sur des principes différents et il poursuit des fins opposées à celles du commandement chrétien. Quand le chrétien aime (essaie d'aimer) son ennemi, c'est pour en devenir l'ami, pour en faire un ami digne, lui aussi, de la récompense promise aux bons et aux justes. Le chef de *Citadelle* n'a que faire de ces notions efféminées ; il aime son ennemi parce qu'un ennemi forge son adversaire et le durcit ; il le vénère comme tel. Cet ennemi perdrait toute raison d'être s'il devenait un ami : « ... ayant durci notre ennemi de sa défaite. Tu m'as vaincu, je suis donc devenu le plus fort (...) La seule estime qui vaille est l'estime d'un ennemi. Et l'estime des amis ne vaut que s'il domine leur reconnaissance... » (173)

Nous rejoignons ici, évidemment, le paradoxe nietzschéen dont Elie Faure avait nourri sa propre pensée, mais que Saint-Exupéry a également pu relire à sa source, dans *Ainsi parlait Zarathoustra* : « Sois au moins mon ennemi !... il faut pouvoir être ennemi... Il faut honorer l'ennemi dans l'ami. » (174) Comme Nietzsche et comme Faure, Saint-Exupéry a interprété l'Evangile à rebours. Il a élevé la guerre sous toutes ses formes au niveau d'une mystique de l'amour. L'ennemi bien-aimé de *Citadelle*, comme le géomètre véritable dont nous allons traiter, incarne un aspect du rêve d'absolu esthétique où Saint-Exupéry a projeté toutes les contradictions dont il vivait et qu'il s'efforçait d'abolir en dehors des voies de la morale et de la logique traditionnelles.

Le seul géomètre véritable.

Conçu par l'auteur comme le personnage qui précède, ce géomètre figure la solution idéale d'une autre antinomie, celle qui, chez Saint-Exupéry, opposait l'intuition au besoin de logique. Personnage de convention, ce géomètre évoque le plus souvent la silhouette de Pascal, mais plus particulièrement un Pascal tel qu'Elie Faure l'a repensé dans ses ouvrages et dans un *Essai.* (175)

Toutes les biographies de Saint-Exupéry insistent sur le fait que le romancier lisait Pascal. Et c'est vraisemblablement une allusion directe à la lecture quotidienne des œuvres du « géomètre » qu'il faut saisir dans le passage suivant de *Citadelle* : « Le seul géomètre véritable je l'avais chaque jour reçu à ma table. La nuit, parfois, dans l'insomnie, je m'étais rendu sous sa tente... » (176) De plus, il faut le noter, ce géomètre figure, depuis sa première apparition dans le récit, un être unique et qui est mort, mais dont les « commentateurs » sont innombrables. (177)

Que dit ce géomètre ?

Tout d'abord il a, mais en vain, cherché des preuves de l'existence de Dieu :

« — J'eusse aimé découvrir dans l'univers la trace d'un divin manteau, et, touchant en dehors de moi une vérité, comme un dieu qui se fût longtemps caché aux hommes, j'eusse aimé l'accrocher par le pan de l'habit et lui arracher son voile de visage pour le montrer. Mais il ne m'a pas été donné de découvrir autre chose que moi-même... » (178)

Le chef de *Citadelle* en dit autant de ses propres recherches métaphysiques : « Seigneur, lui dis-je, Tu as certes raison. Il n'est point de Ta majesté de Te soumettre à mes consignes. Le corbeau s'étant envolé, je me fusse attristé plus fort. Car un tel signe je ne l'eusse reçu que d'un égal, donc encore de moi-même, reflet encore de mon désir. » (179)

Voici les termes dans lesquels Elie Faure décrivait le drame pascalien :

« Le drame ne serait pas s'il n'était pas possédé du besoin de la preuve, concrète, palpable, aveuglante, et pouvant se répéter à l'infini : de là les expériences sur le son, sur le vide... (180)

» ... Cette poursuite acharnée, obsédée, anxieuse de la preuve, est peut-être ce qu'il y a de plus déchirant dans le drame pascalien. Une preuve, Seigneur ! je t'en supplie, encore un autre miracle, rien qu'un, une marque de ta faveur qui m'apparaisse avec une telle évidence qu'elle soit pour moi comme une expérience de physique. » (181)

Saint-Exupéry dit encore de ce géomètre véritable : « Car ce n'est jamais la raison qui a guidé le seul géomètre véritable, mon ami (...) la raison n'est plus efficace et il te faut une autre graine. » (182)

Elie Faure avait dit de « l'intuition grandiose » (183) de Pascal :

« La raison n'explique pas tout, et chose vraiment admirable, c'est elle qui nous apprend qu'elle n'explique pas tout. C'est la raison, en dernière analyse, qui a « ses raisons que la Raison ne connaît pas. » Peut-être est-ce là le secret de cette grandeur inexplicable de Pascal — inexplicable pour qui ne possède pas, comme lui, au moins une étincelle d'intuition lyrique... » (184)

D'autre part, Elie Faure estimait qu'il ne devait pas nécessairement y avoir d'antinomie entre l'imagination et le raisonnement, entre l'art et la science ; il réunissait ces deux démarches dans la personne du géomètre. Là encore, il invoquait Baudelaire et sa définition de l'imagination : « *L'imagination est la plus scientifique des facultés, parce que seule elle comprend l'analogie universelle.* Ce poète n'ignorait pas que le savant c'est le poète. » (185) Et le critique citait aussi bien Michel-Ange, Shakespeare et Beethoven, (186) que des géomètres comme Euclide, Descartes, Newton et Kepler (187) ; il en arrivait ainsi à affirmer : « La vérité géométrique pure, immuable et transmissible, n'est autre que le résidu de quelques grandes passions. »(188)

C'est très exactement cet ensemble de notions fauréennes que le géomètre de *Citadelle* a pour mission d'exprimer. Comme le géomètre-poète d'Elie Faure, celui de Saint-Exupéry est le créateur qui met le raisonnement au service d'une intuition synthétique qui prédomine et lui permet d'accéder à la contemplation pure et simple. Il déclare : « J'ai choisi vers des puits ignorés des chemins rectilignes qui furent semblables à des retours. J'ai eu l'instinct de mes structures comme tes chenilles aveugles de leur soleil » (189) ; « Je me soumets d'abord à la contemplation. Je raconterai ensuite, si je puis. » (190)

Le seul géomètre véritable, c'est l'intuitif faisant échec au logicien, pour ensuite s'en faire un allié ; c'est Pascal donnant la réplique à Descartes, parfois même en paraphrasant la langue analytique et froidement calculatrice de ce dernier.

Saint-Exupéry écrit, en effet, dans *Citadelle* : « Car me vint un jour la connaissance de ce que je ne pouvais pas me tromper. » (191) C'était une manière de répondre à ce Descartes dont il avait dû répudier la philosophie, (192) et qui avait lui-même admis que son raisonnement pût être faillible : « Toutefois il se peut faire que je me trompe... » (193)

C'est sans doute aussi à Descartes et à son « désir d'apprendre à distinguer le vrai d'avec le faux », (194) que Saint-Exupéry réplique, au nom de l'intuition : « Ayant bien découvert qu'il n'est rien qui soit faux pour la simple raison qu'il n'est rien qui soit vrai... » (195)

Les textes de cette veine abondent dans l'œuvre posthume où, comme Elie Faure, Saint-Exupéry se moque des logiciens, des savants qui « démontent » pour expliquer, des faux géomètres qui ne connaissent que la « vérité de leurs triangles » et qui « divisent pour connaître ».

Le « seul géomètre véritable » de *Citadelle* personnifie la solution idéale d'une contradiction intime de Saint-Exupéry ; il représente, il propose un état souverain qui établit la suprématie de l'intuition et qui réinstalle le raisonnement dans sa fonction auxiliaire d'adjuvant de l'instinct créateur. Il est la réincarnation allégorique du drame pascalien redécouvert et revécu par Saint-Exupéry, dans le prolongement d'une réinterprétation signée par Elie Faure.

Quant à l'influence directe que les *Pensées* ont dû exercer sur Saint-Exupéry, elle est évidente et elle se lit dans plusieurs chapitres de *Citadelle*, notamment. En voici deux exemples extraits l'un du début du poème et l'autre de la fin, et qui soulignent un changement de perspective considérable de la part de l'auteur : « Grandeur de l'homme et cependant sa petitesse car je le sais grand dans la foi et non dans l'orgueil de sa révolte » (196) ; « Petitesse de l'homme ? Où vois-tu qu'il y ait petitesse ? » (197)

Les contradictions de cette espèce sont fréquentes dans le testament inachevé de Saint-Exupéry. Elles n'auraient qu'une importance accessoire si elles n'indiquaient un trait essentiel de la personnalité de l'auteur. Ce dernier semble avoir consacré le meilleur de ses énergies, dans *Citadelle* en tout cas, à absorber des oppositions de nature ou de principe — des « litiges », comme il aimait aussi à les appeler. Nous reviendrons sur cet aspect du problème au deuxième chapitre de cette étude. Mais il n'est sans doute pas inutile de souligner ici une des manifestations les plus pathétiques de cette soif d'unité, qui a trait, précisément, aux deux personnages allégoriques considérés jusqu'ici. Par trois fois, aux dernières pages de son testament littéraire, l'écrivain prononce une prière courte et significative; elle montre en effet qu'il est au moins une des contradictions de Saint-Exupéry que ce dernier n'est pas parvenu à abolir de son vivant. Il n'en imaginait la solution que dans la perspective de sa mort : « Seigneur, de celui-là qui repose au Nord de mon empire et fut l'ennemi bien-aimé, du géomètre, le seul véritable, mon ami, et de moi-même qui ai, hélas ! passé la crête et laisse en arrière ma génération comme sur le versant désormais révolu d'une montagne, daigne faire l'unité pour ta gloire, en m'endormant au creux de ces sables déserts où j'ai bien travaillé. » (198)

Les gendarmes.

En regard du rôle prépondérant que l'ennemi et le géomètre jouent dans la tentative d'affabulation de *Citadelle*, la part que l'auteur a confiée à ses « gendarmes » apparaît comme secondaire. Elle n'en est pas moins importante par les valeurs esthétiques qu'elle sert à mettre en évidence.

Nous avons déjà fait voir l'origine fauréenne de ces personnages abstraits, ainsi que la signification générale qu'il convient de leur attribuer dans *Citadelle*. Les gendarmes exercent naturellement des fonctions d'ordre disciplinaire dans la civilisation idéale de l'écrivain. Celui-ci précise la nature de ces fonctions et il nous fait savoir, du même coup, ce qu'il attend de la morale et de la justice traditionnelles.

Un jour qu'il a convoqué ses gendarmes, le Prince leur rappelle qu'ils n'ont pour mission ni de « construire un monde aussi souhaitable soit-il », ni de « peser les hommes » ; « Car il n'est point du rôle du gendarme de charrier une civilisation, mais d'interdire des actes sans comprendre pourquoi. » (199) Quelques lignes plus bas, le chef dit encore : « Vous ne jugerez que les actes, lesquels se trouvent énumérés dans le manuel. Et j'accepte votre injustice (...) la loi est la loi. » (200) La raison profonde de ces diverses notions, nous la connaissons bien ; elle est contenue dans cette parole du Prince : « il m'est impossible de peser le bien et le mal... » (201)

Le chef installe ainsi les représentants de l'éthique et de

la justice dans une communauté sociale où seule l'autorité du règlement fait office de morale, en dehors des distinctions traditionnelles.

Ici encore, Saint-Exupéry a rejoint l'esthétique nietzschéenne d'Elie Faure aux yeux de qui seuls la vie et les actes ont toujours raison « contre la science. Contre la loi. Contre la morale. Contre une divinité réduite à un rôle de gendarme. » (202) A cet égard, Elie Faure était d'avis que les *Evangiles*, tout comme les *Pensées*, avaient survécu uniquement parce qu'ils étaient des monuments esthétiques, des « poèmes » ; « Mais sont-ce des œuvres morales ? Je n'en crois rien… » (203) Et ce sont bien des opinions identiques que Saint-Exupéry a émises sur la *Bible* et sur le *Coran*, quand il a considéré la première comme une source d'inspiration lyrique, et le second comme une règle de jeu. (204) En 1931, l'auteur de *Vol de Nuit* nous laissait déjà entendre qu'il reniait les valeurs morales habituelles : « *Juste ou injuste envers eux, cela n'a pas de sens : ils n'existent pas.* L'homme était pour lui (Rivière) une cire vierge qu'il fallait pétrir. » (205) Et c'était déjà, sans doute, une réminiscence des enseignements d'Elie Faure qui avait, après Nietzsche, prêché la relativité dans ce domaine : « La guerre est toujours injuste pour celui qui est vaincu. La guerre est toujours juste pour celui qui est vainqueur (…) L'agresseur ? L'attaqué ? Littérature. (…) C'est ainsi que juste ou injuste… » (206)

Il était inévitable que Saint-Exupéry rendît hommage à l'homme qui lui a tant donné. Il l'a fait, de la manière la plus inattendue, et sans jamais le nommer, en lui confiant un rôle essentiel dans son testament littéraire : *le père* du chef.

Le chef de *Citadelle* parle avec autorité. Il s'efface, cependant, devant la stature impressionnante de ce père mort comme un Messie qui continue à révéler à son successeur, d'outre-tombe, tous les secrets de l'activité créatrice.

Le premier chapitre de *Citadelle* relate les circonstances de cette mort :

« Mort aussi de mon père. (207) De mon père accompli et devenu de pierre (...) Ainsi mon père qu'un régicide installa d'emblée dans l'éternité, quand il eut ravalé son souffle suspendit le souffle des autres durant trois jours (...) Mais il nous parut si important, lui qui ne gouverna pas mais pesa et fonda sa marque, que nous crûmes, quand nous le descendîmes dans la fosse, au long des cordes qui craquaient, non ensevelir un cadavre, mais engranger une provision. Il pesait, suspendu, comme la première dalle d'un temple. Et nous ne l'enterrâmes point, mais le scellâmes dans la terre, enfin devenu ce qu'il est, cette assise. » (208)

Quand il écrivit ce passage, Saint-Exupéry a dû se souvenir du récit évangélique de la mort du Christ ; il en a réutilisé, intentionnellement, les détails descriptifs et les éléments prophétiques, pour mettre mieux en valeur la scène unique que constituait, à ses propres yeux, la mise au sépulcre du père spirituel de *Citadelle*. Dans l'*Evangile* de Matthieu, on peut lire, en effet :

« ... afin que s'accomplît ce qui avait été annoncé... Toi qui détruis le temple, et qui le rebâtis en trois jours... Joseph prit le corps, l'enveloppa d'un linceul blanc, et le déposa dans un sépulcre neuf, qu'il s'était fait tailler dans le roc. Puis il roula une grande pierre à l'entrée du sépulcre... Après trois jours je ressusciterai. Ordonne donc que le sépulcre soit gardé jusqu'au troisième jour... Ils s'en allèrent, et s'assurèrent du sépulcre au moyen de la garde, après avoir scellé la pierre. » (209)

« La pierre qu'ont rejetée ceux qui bâtissaient
Est devenue la principale de l'angle. » (210)

Saint-Exupéry a-t-il assisté aux obsèques d'Elie Faure ? C'est là un détail d'importance secondaire sur lequel il serait très difficile de faire la lumière. Ce qui compte surtout, c'est de tirer les leçons de cette date marquante. Elie Faure est décédé le 29 octobre 1937, après s'être voué, pendant les dernières années, « à la lutte en faveur de l'Espagne républicaine ». (211) En 1936, il s'était rendu en Espagne. (212) Saint-Exupéry lui aussi séjourna dans ce pays à plusieurs reprises, notamment en 1936, en qualité de reporter pour « L'Intransigeant », et en 1937, au mois de juin, pour « Paris-Soir ». (213)

De plus, c'est vers 1937 que Saint-Exupéry conçut l'idée de composer ce qu'il appelait son « poème » et qu'il se mit à travailler à ce grand œuvre inachevé.

Pures coïncidences ! s'exclamerait M. Léon Werth. Quand

elles se multiplient et qu'elles s'ajoutent les unes aux autres, les coïncidences de cette espèce offrent l'avantage assez précieux de se convertir, d'elles-mêmes, en arguments sinon en preuves auxiliaires d'une thèse qui, somme toute, n'accorde qu'un rang accessoire aux données biographiques. Qu'il ait ou qu'il n'ait pas assisté aux funérailles de son père spirituel, Saint-Exupéry a dû, à cette époque, tirer certaines conclusions de cet événement décisif dans sa carrière littéraire. Et là encore, les textes suffisent : le zèle avec lequel Saint-Exupéry a assimilé la pensée d'Elie Faure et la teneur de *Citadelle* nous autorisent à prétendre que le disciple a tenté, dès 1937, de reprendre l'œuvre magistrale du critique d'art, et de la poursuivre à sa manière, selon ses propres conceptions, dans un « poème » qui rende un hommage dû au maître en faisant revivre ce dernier sous les traits du « père » allégorique de cette somme esthétique.

Quels propos tient, en effet, ce père devant lequel le chef de la citadelle s'efface constamment pour lui permettre de dogmatiser ? Quelques extraits nous suffiront pour y faire reconnaître l'auteur de *La Danse sur le feu et l'eau* et de *L'Esprit des Formes.*

Ici, le père initie son fils aux secrets de la création artistique :

> « — Créer, c'est manquer peut-être ce pas dans la danse. C'est donner de travers ce coup de ciseau dans la pierre. Peu importe le destin du geste (...) Le grand sculpteur naît du terreau de mauvais sculpteurs. Et la belle danse naît de la ferveur à danser. Et la ferveur à danser exige que tous dansent — même ceux-là qui dansent mal... » (214)

Nous y reconnaissons le dogme d'Elie Faure et sa propre manière de l'illustrer, quand, par exemple, il proclamait « l'élan, la pesanteur de la création » (215), associait tous les modes de l'expression artistique sans en oublier le plus représentatif, la danse, et quand il considérait l'art comme « le meilleur moyen d'utiliser peu à peu ce que nous appelons l'erreur, la laideur et le mal en vue d'une éducation plus haute. » (216)

Là, le père veut montrer à son fils comment une collectivité peut compromettre cet élan créateur, si elle s'abâtardit : « Vois, disait-il, ils deviennent bétail et commencent doucement de pourrir (...) Il est certes mauvais que l'homme écrase le troupeau. Mais ne cherche point là le grand esclavage : il se montre quand le troupeau écrase l'homme. » (217) L'original de ces images vigoureuses peut se lire dans les textes d'Elie Faure, comme ceux qui suivent : « ... voici l'homme bétail (...) broutant l'herbe... » (218) ; « Là, l'individu tente (...) de s'affranchir du troupeau. » (219)

Là encore, le père rappelle au Prince de *Citadelle* que la logique tue la vie et l'élan créateur : « Créer, c'est rendre la victoire ou la guérison aussi nécessaires qu'une croissance d'arbre (...) — Imbéciles ! leur dit-il. Bétail châtré ! Historiens, logiciens et critiques, vous êtes la vermine des morts et jamais ne saisirez rien de la vie. » (220)

Elie Faure avait consacré bien des pages véhémentes aux logiciens, aux historiens et aux critiques, qui fondaient leurs ouvrages sur l'esprit d'analyse. En voici quelques exemples. Au Christ, le « poète » intuitif, il avait opposé Paul, « un étroit logicien » (221) ; il avait vu la grandeur du « logicien Pascal », (222) non pas dans sa « rigueur logicienne », (223) mais, en dépit de Pascal lui-même, dans son « intuition grandiose ». (224) Attaquant l'historien qui analyse les faits et en tire des conclusions logiques, Elie Faure avait dit : « L'historien qui se dit un savant profère une simple sottise ». (225) Quant au critique, Elie Faure s'était essayé à en dépeindre le caractère, à la manière de La Bruyère, dans *La Danse sur le feu et l'eau* : « Des critiques fameux exhument d'illustres cadavres pour les brandir par les pieds. Ils sont sincères, certes, et dogmatiques, et assurés d'avoir raison (...) Cléon s'agite. Il bourdonne. Il fait feu des quatre pieds. Il sait tout. Il peut tout. Il est roi. Et même pontife... » (226)

Le père du chef de *Citadelle*, s'il s'exprime avec l'autorité de l'homme qu'il figure et dont il évoque la mémoire, n'en a pourtant pas retenu, sauf à quelques endroits du livre, les imprécations ironiques ; il n'en a surtout pas conservé les maladresses de style. Il apparaît dans l'ouvrage de Saint-Exupéry comme une sorte de pédagogue idéal dont les enseignements surpassent, en sagesse, ceux de tous les autres maîtres. On peut rester indifférent à la lecture d'un document inachevé et qui laisse voir bien des imperfections ; on ne peut pourtant pas manquer d'y déceler les signes d'un attachement pathétique de disciple à maître. Certains y verront même les raisons profondes d'un échec littéraire que l'achèvement de *Citadelle* par son auteur aurait peut-être retardé, mais n'eût pas évité.

Pour en finir avec l'empreinte fauréenne, et avant d'en venir aux influences gidiennes, il convient de mentionner trois critères importants de l'esthétique de Saint-Exupéry : le goût, la ferveur et le pathétique. Par la signification que notre auteur a parfois attribuée à ces trois mots, celui-ci montre bien, en effet, qu'il a accueilli des notions fauréennes aussi bien que des enseignements gidiens ; les deux apports sont d'ailleurs compatibles en ce qui concerne ces trois critères. A certains points de vue, il est même difficile, sinon dangereux, d'essayer de faire la part des choses.

Il y a, en tout cas, un sens particulier, une notion presque mystique du goût, que Saint-Exupéry a pu emprunter à Elie Faure. Ce dernier redéfinissait « Shakespeare, Cervantès, Pascal » comme des « créateurs de mythes nouveaux, semeurs d'incertitude morale, d'enthousiasme lyrique, d'amour de la vie et de goût de la mort. » (227) Le chapitre LXXIII de *Citadelle* s'ouvre sur ces mots : « Me vint donc le goût de la mort... », (228) et tend à indiquer que cette expression signifie « goût de Dieu » (229) ; comme chez Elie Faure, cette expression traduit une soif d'absolu et d'une perfection que le devenir humain ne peut accorder : « Laissez-moi être, ayant achevé de devenir. » (230)

C'est la même idée qu'Elie Faure et Saint-Exupéry expriment l'un et l'autre par cette autre formule : « le goût de l'éternité », que ce soit dans *Terre des Hommes*, dans *Pilote de Guerre*, dans *Citadelle*, [231] ou bien, chez le critique d'art, dans son *Montaigne*. [232]

Quand Saint-Exupéry écrit, dans *Citadelle* : « Mais je te parlerai de la ferveur », [233] il se souvient évidemment des *Nourritures* où André Gide disait tour à tour : « Nathanaël, je t'enseignerai la ferveur » et « Nathanaël, je te parlerai des attentes ». [234] Mais, si Saint-Exupéry s'est arrêté devant les conséquences individuelles de la ferveur, il a surtout considéré les manifestations collectives de cet élan, comme il le montre bien dans le texte suivant : « Il n'est de fertile que la grande collaboration de l'un à travers l'autre (...) Invente un empire où simplement tout soit fervent. » [235] Et cette acception communautaire de la ferveur, dont la danse traduit le plus fidèlement les rythmes frénétiques, c'est surtout à Elie Faure qu'il en est redevable. Ce dernier avait vu dans la ferveur l'expression de la vie unanime et de l'enthousiasme collectif. [236]

Il en est du pathétique comme de la ferveur. Gide en soulignait les applications individuelles ; Elie Faure en faisait un critère d'art et une valeur de civilisation qu'il employait principalement pour désigner des phénomènes de portée collective. [237]

Ce chapitre étant réservé à l'étude des sources, nous ne pouvons anticiper, et nous devons reporter au chapitre II l'analyse du sens particulier que ces trois vocables (goût, ferveur et pathétique) ont fini par prendre, sous la plume de Saint-Exupéry, dans les phases plus personnelles de sa recherche de la perfection.

Ce qu'Elie Faure avait surtout retenu de la pensée nietzschéenne, c'était la perspective qu'elle ouvrait sur une civilisation nouvelle dont les héros étaient provisoirement les seuls êtres susceptibles d'en incarner les valeurs, mais que les masses humaines, en s'élevant, devaient accueillir au plus tôt. Même quand il célébrait les grands conducteurs d'hommes, Elie Faure se souciait tout autant, sinon plus, des peuples dont ils étaient responsables ; il insistait sur les conséquences sociales, collectives et pour ainsi dire cosmiques de la libération nietzschéenne.

André Gide, lui aussi, a saisi très tôt les possibilités lointaines que permettait de découvrir le message de Nietzsche. Mais il a tenu à en tirer d'abord les leçons immédiates d'affranchissement et de surpassement individuels. A l'opposé de Faure, il a mis l'accent sur les effets personnels et éthiques de l'émancipation nietzschéenne. (238)

A ce titre, comme nous le verrons plus loin, les ouvrages de Gide n'ont pas manqué de retenir l'attention de Saint-Exupéry et de marquer sa pensée. Mais il semble bien que ce dernier ait pris, surtout, auprès de l'auteur des *Nourritures*, des leçons d'esthétique littéraire. S'il a fréquenté André Gide et si celui-ci s'est intéressé à son cadet, c'est principalement sur le plan de la littérature. Et s'il leur est arrivé de se rencontrer sur le plan des idées, c'est en de rares occasions et vraisemblablement parce que Gide se choisissait des amis parmi ses contraires autant que parmi ses semblables. (239)

L'esthétique littéraire d'André Gide a laissé des empreintes dans les œuvres de l'aviateur. Indépendamment de l'important problème du style, qui est discuté au chapitre III de ce travail, l'influence gidienne a porté sur le développement de la technique du romancier. Cet apport est apparent mais superficiel au début ; il se dissimule plus habilement mais se fait plus profond à la fin de la production littéraire.

André Gide et Antoine de Saint-Exupéry se sont sans doute rencontrés pour la première fois quelque temps avant la publication de *Courrier-Sud*, en 1928. Dans son *Journal*, à la date du 31 mars 1931, Gide signale « le grand plaisir » qu'il a éprouvé à « revoir Saint-Exupéry. » (240) C'est également en 1931 qu'il a donné une préface au deuxième livre de l'aviateur. (241) Les deux écrivains se sont revus à plusieurs reprises, tout particulièrement en 1943 et en 1944, quand ils séjournaient tous deux en Afrique du Nord. (242)

Saint-Exupéry devait connaître son aîné par certains de ses livres, quand il a composé *Courrier-Sud*. Les quelques extraits qui suivent évoquent des thèmes, des images et des procédés gidiens.

Geneviève a rejoint Bernis, son amant, après la mort de son enfant : « Elle dormait. Il ne pensait pas à l'amour. Mais il rêvait bizarrement. Des réminiscences. La flamme de la lampe. Il faut se hâter de nourrir la lampe. Mais il faut aussi protéger la flamme du grand vent qu'il fait. » (243)

L'auteur se souvient-il des « vraies lampes lourdes » de son enfance, dont il reparlera souvent ? (244) L'évocation possible de simples souvenirs d'enfance n'exclut nullement l'éventualité d'un apport littéraire. Au contraire. L'auteur lui-même nous invite à voir dans ce passage une authentique « réminiscence », tout comme il nous a autorisé à croire que les souvenirs du Rivière de *Vol de Nuit* étaient de réelles impressions de lectures. Dans les Cahiers d'*André Walter*, en particulier, Gide avait eu recours à ce symbole biblique de la vigilance. Dans les Poésies d'*André Walter*, surtout, il avait fait de cette image le véhicule conventionnel d'une pensée qui se voulait toujours en éveil :

> « — et de l'huile encore pour la lampe, de peur qu'elle ne s'éteigne au milieu de la nuit. (245)
>
> » ... Nous avons ranimé les lampes. (246)
>
> » ... Mais, dehors, le vent tiède a soufflé nos lumières. (247)
>
> » ... Alors tu m'as dit : il faut nous hâter. Mais nos lampes trop légères s'étaient éteintes... » (248)

Dans *Courrier-Sud*, encore, le romancier passe en revue les lectures d'enfance et d'adolescence de son héros :

> « ... son enfance n'avait pas tiré de « l'Enéide » un seul secret qui le protégeât de la mort. (249)
>
> » ... Descartes avait, peut-être, appuyé son système sur une pétition de principe. Pascal... Pascal était cruel... Et lui, qui nous défendait de toutes ses forces contre le déterminisme, contre Taine, lui, qui ne voyait pas d'ennemi plus cruel dans la vie, pour des enfants qui sortent du collège, que Nietzsche, il nous avouait des tendresses coupables.

Nietzsche... Nietzsche lui-même le troublait (...) C'était son tour d'expliquer Lucrèce ou l'Ecclésiaste (...) Ils parlèrent de Jules César, enfant... (250)

» ... Voici l'étude où nous écrivions nos premiers poèmes. » (251)

Qu'on rapproche de ces quelques extraits les passages correspondants du *Cahier Blanc* de Gide, et l'on ne manquera pas de constater la similitude du procédé de l'énumération et celle du ton des confidences :

« Nous apprenions tout ensemble. (...) Ce furent les Grecs d'abord, et, depuis, toujours préférée : « l'Iliade », « Prométhée », (...) L'âpreté violente de Shakespeare nous laissait brisés d'enthousiasme : la vraie vie n'avait pas de ces enlèvements. Les « Paroles d'un croyant » nous secouaient à leur souffle prophétique... (252)

» Puis nous reprenions les lectures de l'enfance (...) Pascal, Bossuet, Massillon (...) Puis, avec les ambitions révélées, ce fut Vigny, Baudelaire... » (253)

Dans l'extrait qui suit, l'auteur de *Courrier-Sud* a dû s'inspirer, ou, en tout cas, se souvenir d'une scène des *Nourritures Terrestres*. Il écrit :

« Deux mois plus tôt, il montait vers Paris, mais, après tant d'absence, on ne retrouve plus sa place : on encombre une ville. Il n'était plus que Jacques Bernis habillé d'un veston qui sentait le camphre. Il se mouvait dans un corps engourdi, maladroit, et demandait à ses cantines, trop bien rangées dans un coin de la chambre, tout ce qu'elles révélaient d'instable, de provisoire : cette chambre n'était pas conquise encore par du linge blanc, par des livres. » (254)

André Gide avait décrit ses rares retours au foyer dans ces termes :

« Parfois, retraversant Paris, je retrouvais pour quelques jours ou quelques heures l'appartement où s'était écoulée ma studieuse enfance ; tout y était silencieux ; des soins de femme absente avaient jeté des linges sur les meubles. (...) J'allais de pièce en pièce sans rouvrir les volets clos depuis plusieurs années, ni soulever les rideaux pleins de camphre. (...) Ma chambre seule continuait d'être apprêtée. (...) Les livres sur les rayons et sur les tables gardaient l'ordre où je les avais placés... » (255)

Il est évident que Saint-Exupéry apprend son métier de romancier dans les textes de Gide dont il adopte le ton et des éléments descriptifs qu'il arrange ensuite à sa manière, en novice.

De nombreux passages de *Courrier-Sud* nous renvoient de même aux *Nourritures* non seulement par le ton de confidence fervente et suave qu'ils leur empruntent, mais aussi par les vocables gidiens qu'ils réutilisent et les sensations diverses qu'ils transportent :

« Et je m'étirais du voyage avec cette adorable faim. (...) Et ce printemps ! Te souviens-tu de ce printemps (...) ? Cet air si neuf qui circulait entre les choses. Chaque femme contenait un secret, un accent, un geste, un silence. Et toutes étaient désirables. Et puis, tu me connais, cette hâte de repartir... (256)

» Alors vous nous preniez les mains et vous nous disiez d'écouter parce que c'étaient les bruits de la terre et qu'ils rassuraient et qu'ils étaient bons. (257)

» Mais surtout ce détachement. Il l'eût désirée avide de biens. Souffrant des choses, touchée par les choses et criant pour en être nourrie comme un enfant. Alors, malgré son indigence, il aurait eu beaucoup à lui donner. Mais il s'agenouilla pauvre devant cette enfant qui n'avait pas faim. » (258)

Il est hors de doute que l'auteur de *Courrier-Sud* a entendu l'appel des *Nourritures* et en a retenu certains enseignements. Comme beaucoup de ses contemporains, il a dû voir s'y profiler la silhouette d'un homme nouveau « moins attaché à son être que prêt à suivre la pente de son devenir. ». (259) Mais il ne s'y est pas arrêté longtemps. S'il a dépassé la leçon des *Nourritures Terrestres*, c'est en vertu de certains besoins qu'il éprouvait déjà au temps de *Courrier-Sud*, et que le message de Gide — même celui à venir — était destiné à ne jamais satisfaire. Déjà dans son premier roman, le moins social de tous, Saint-Exupéry laissait voir qu'il était à la recherche d'une solution toute particulière du problème de l'individu. Aux termes de sa pensée, dans *Courrier-Sud* déjà, les efforts de surpassement de l'individu ne prenaient de valeur que s'ils étaient tentés dans un cadre collectif que le premier roman définissait mal, mais que *Citadelle* devait un jour expliciter. Les protagonistes de *Courrier-Sud* posaient déjà, en effet, un peu sans s'en rendre compte, non pas le problème de l'individu, mais celui de l'espèce humaine et de sa survivance. Ils étaient habités pas le désir de la durée. « Ce décor manque de durée. Sa charpente n'est pas solide... » constate Geneviève, sans savoir « exprimer ce qu'elle ressent ».[260] Ce dont elle a besoin, c'est : « Ce qui peut vous porter longtemps comme un navire... »[261] Arrachée à son milieu habituel, devenue disponible, elle s'effraie : « Mais cette assurance de durée, elle ne l'aurait plus. Elle pensa : les choses duraient plus que moi (...) et, maintenant, je vais durer plus que les choses. »[262] (*Citadelle* est la civilisation destinée à permettre aux hommes de durer : « Car moi je respecte d'abord ce qui dure plus que les hommes. Et sauve ainsi le sens de leurs échanges. »[263])

Faire durer les hommes par le cadre dans lequel ils évoluent, façonner l'espèce humaine et en « dresser l'éternité » en les forçant à devenir, dans le contexte collectif, cela c'est l'influence d'Elie Faure faisant échec à celle de Gide et en train de la circonscrire dès le premier ouvrage de Saint-Exupéry.

André Gide, cependant, pouvait encore aider Saint-Exupéry a plus d'un égard ; d'autres textes de l'aviateur en font foi, et notamment la *Lettre à un Otage*.

Dans cet essai, l'auteur s'est souvenu du *Retour de l'Enfant Prodigue* d'André Gide, mais il n'en a pas retenu la scène dernière et essentielle. Et ainsi, c'est la leçon de la parabole évangélique qu'il a rejointe, à travers l'interprétation que Gide en avait donnée. Dans le dernier tableau du *Retour*, Gide a montré, en effet, que le retour du fils prodigue n'empêchait nullement le frère puîné de partir, lui aussi, peut-être pour ne jamais revenir. Saint-Exupéry s'est arrêté au seuil de cette dernière scène et il a célébré le retour au foyer de l'enfance.

Voici quelques extraits de la *Lettre* et les passages correspondants du *Retour* :

Lettre à un Otage (264)	*Retour de l'Enfant Prodigue* (265)
« Mon fils est vivant puisque je souris... *(p. 405)*	« ... préparez un festin de joie, car le fils que je disais mort est vivant. *(p. 201)*

» Lisbonne (...) souriait d'un sourire un peu pâle, comme celui de ces mères qui n'ont point de nouvelles d'un fils (...) et s'efforcent de le sauver par leur confiance... *(p. 405)*

» Elle est douce l'absence du fils prodigue ! C'est une fausse absence puisque, en arrière de lui, la maison familiale demeure (...) C'est celle de la prière. Jamais je n'ai mieux aimé ma maison que dans le Sahara... *(p. 408)*

» Ils n'étaient point des enfants prodigues. Ils étaient des enfants prodigues sans maison vers quoi revenir. Alors commence le vrai voyage, qui est hors de soi-même. *(p. 409)*

» L'essentiel est que demeure quelque part ce dont on a vécu. Et les coutumes. Et la fête de famille. Et la maison des souvenirs. L'essentiel est de vivre pour le retour... *(p. 409)*

» L'homme est gouverné par l'Esprit. Je vaux dans le désert, ce que valent mes divinités. » *(p. 411)*

» La mère : — Jamais, je n'ai cessé de t'espérer. *(p. 217)*

» Qu'est-ce donc que j'attends pour m'élancer vers la demeure... ? On m'attend... *(p. 204)*
» Puis je priais. J'ai tant prié qu'il te fallait bien revenir. *(p. 218)*
» C'est dans l'aridité du désert que j'ai le mieux aimé ma soif. *(p. 206)* ... je ne vous aimai jamais plus qu'au désert. *(p. 207)*

» Qu'est-ce qui t'attirait donc au dehors ? — Je ne veux plus y songer : Rien... Moi-même *(p. 218)*

» — Dans sa maison.
» — Cet amour y ramène ; tu le vois bien puisque te voici de retour. *(p. 212)*

» De quel chaos l'homme est sorti, tu l'apprendras si tu ne le sais pas encore. Il en est mal sorti ; de tout son poids naïf il y retombe dès que l'esprit ne le soulève plus au-dessus. » *(p. 213)*.

Un aspect beaucoup plus intéressant de l'influence qu'André Gide a exercée sur Saint-Exupéry a trait à la technique de construction du récit. Les deux écrivains se sont rencontrés en diverses occasions, et il est certain que le premier n'a pas épargné ses conseils au second. Cependant, les documents qui seraient susceptibles de nous renseigner sur la nature de ces conseils sont assez rares. Un seul texte d'importance a été cité pour confirmer l'enseignement oral de Gide, par M. Pélissier qui connaissait bien les deux auteurs. Dans

Les Cinq Visages de Saint-Exupéry, M. Pélissier a publié, sans indiquer la source, une déclaration de Gide qui en dit long sur l'ascendant de ce maître :

« Après ses deux premiers romans, je m'étais hasardé à lui dire : Pourquoi n'écririez-vous pas quelque chose qui ne serait pas un récit continu, mais une sorte de... Ici j'hésitais : ... enfin comme un bouquet, une gerbe, sans tenir compte des lieux et du temps, le groupement, en divers chapitres, des sensations, des émotions, des réflexions de l'aviateur ; quelque chose d'analogue à ce que l'admirable *Mirror of the Sea* de Conrad, est pour le marin ?

» Saint-Exupéry ne connaissait pas encore ce livre lorsque commença *Terre des Hommes* de prendre forme dans son esprit. Et tout ce qu'il m'en lut, peu de mois ensuite, surpassait mes vœux, mon attente et mon espérance. » (266)

M. Pélissier soulignait en même temps le lien qui unit *Terre des Hommes* et les deux livres qui suivirent : « Dès *Terre des Hommes* apparaît la structure qui se continuera désormais dans *Pilote de Guerre* et dans la *Lettre à un Otage :* Un récit ou (des récits) commentés, prétextes à méditations ou à rappels de souvenirs. Ces trois livres sont construits comme la conversation de Saint-Exupéry qui suspendait au fil d'une histoire, des développements imprévus. » (267)

Nous reviendrons sur les conséquences de ces conseils de Gide, au chapitre III, où nous replacerons aussi l'auteur de *Terre des Hommes* dans le cadre d'une communauté d'écrivains, autour d'André Gide, et parmi ses collaborateurs de la *Nouvelle Revue Française.*

Elie Faure a transmis à Saint-Exupéry des notions essentielles d'esthétique générale. Les leçons d'André Gide ont porté en ordre principal sur les ressorts de l'art du romancier. Et, en définitive, si Saint-Exupéry s'est laissé séduire par une certaine manière gidienne, comme dans *Courrier-Sud*, il n'a pas tardé à renoncer à un ton suave et sensuel qui lui était étranger, pour ne retenir que l'essentiel de ce que son aîné avait à lui apprendre : des procédés de construction narrative et l'exemple capital du style littéraire.

André Gide, parmi les premiers en France, avait souligné les deux aspects fondamentaux de l'optimisme tragique de Frédéric Nietzsche :

« Oui, Nietzsche démolit ; il sape, mais ce n'est point en découragé, c'est en féroce (...) La ferveur qu'il y met, il la redonne à d'autres pour construire (...) « On ne produit qu'à condition d'être riche en antagonismes » dit-il ; (...) il forme des ouvriers. Il démolit pour exiger plus d'eux ; il les accule. L'admirable, c'est qu'il les gonfle en même temps de vie joyeuse (...) Démolir, Nietzsche ? Allons donc ! Il construit, — il construit, vous dis-je ! Il construit à bras raccourcis. » (268)

Gide écrivait ces lignes en 1898. En 1909, Elie Faure faisait paraître dans les *Portraits d'Hier* une série d'essais sur Michelet, Lamarck, Dostoiëvski, Nietzsche et Cézanne, dont la réunion devait former plus tard *Les Constructeurs.*

Sans doute Gide et Faure ont-ils assimilé l'esthétique nietzschéenne à des degrés divers et dans des buts différents ! Mais tous deux ont accueilli le penseur allemand non seulement comme un démolisseur, mais aussi et surtout, comme un bâtisseur. Et c'est cet aspect positif que Saint-Exupéry a retenu. Ce Nietzsche-là, c'est celui de *Zarathoustra,* mais c'est aussi celui des jeunes années — l'auteur de *L'Origine de la Tragédie* — dont le message avait illuminé Elie Faure et André Gide. Voici l'essentiel du credo nietzschéen :

« ... l'existence du monde ne peut se *justifier* que comme phénomène esthétique. En effet, ce livre ne reconnaît, au fond de tout ce qui fut, qu'un sens artistique et un symbole caché — un « dieu », si l'on veut, mais à coup sûr un dieu purement artiste, absolument dénué de scrupule et de morale (...)

» La vie, cette manifestation divine *de tous les instants,* en tant que vision éternellement changeante, éternellement nouvelle des plus grandes souffrances, des plus irréductibles conflits (...) toute cette métaphysique d'artiste peut être traitée d'arbitraire, de frivole, de fantaisiste, — l'essentiel est qu'elle trahit dès l'abord un esprit qui, à tout événement, décida de se mettre en garde contre l'interprétation *morale* de l'importance de l'existence. Ici est proclamé pour la première fois peut-être, un pessimisme « par delà le bien et le mal » (...) En vérité, rien n'est plus complètement opposé à l'interprétation, à la justification purement esthétique du monde exposée dans ce livre, que la doctrine chrétienne, qui n'est et ne veut être que morale... » (269)

Antoine de Saint-Exupéry n'a pas légué de déclaration de foi succincte comme celle-là. Il nous a laissé la longue profession de foi de sa *Citadelle,* cette civilisation des « âmes belles », dont il disait, au terme de la version que nous en possédons : « J'ai donc, mon travail achevé, embelli l'âme de mon peuple. » (270)

C'est d'ailleurs bien avant la rédaction des premières notes de *Citadelle* que l'influence de Nietzsche s'est installée dans les œuvres de l'aviateur ; elle a été annoncée dans *Courrier-Sud* et elle a nettement marqué *Vol de Nuit.* Elle s'est fixée dans l'art de Saint-Exupéry de deux façons : directement, à la lecture de textes nietzschéens traduits en français, et indirectement, à travers les enseignements d'Elie Faure et d'André Gide. Seul l'apport direct mérite de retenir notre attention.

Nous avons rappelé dans quelles circonstances l'auteur de *Courrier-Sud* cite un mot de *Zarathoustra* et évoque le nom du penseur allemand parmi d'autres souvenirs de collège.

Dans *Vol de Nuit,* on peut relever les empreintes d'un chapitre célèbre et substantiel de *Zarathoustra,* celui *Des Vieilles et des Nouvelles Tables.* A la question « Pourquoi si dur ? », (271) Zarathoustra répondait : « Car les créateurs sont durs (...) Le plus dur seul est le plus noble. O mes frères, je place au-dessus de vous cette table nouvelle : DEVENEZ DURS ! » (272) Rivière correspond bien à ce type d'homme nouveau. Il proclame : « Ces hommes-là sont heureux, parce qu'ils aiment ce qu'ils font, et ils l'aiment parce que je suis dur » (273) ; « Le visage de ce réseau est beau mais dur. » (274) Ailleurs, le narrateur disait de son héros : « Il ne pensait pas les asservir par cette dureté, mais les lancer hors d'eux-mêmes », (275) ou encore : « Il lui vint une certaine lassitude d'avoir tracé si durement sa route. Il pensa que la pitié est bonne. » (276) Nietzsche avait insisté sur cet aspect coupable de la faiblesse : « La pitié comme un danger » (277) ; « Gardez-vous donc de la pitié... » (278)

Saint-Exupéry disait des livres qu'il lisait et des films qu'il allait voir : « J'ai cru remarquer que chaque fois qu'une œuvre présentait une cohérence profonde, elle était presque toujours réductible à une commune mesure élémentaire. Je me souviens d'un film dont l'héroïsme, à l'insu du metteur en scène, était d'abord la pesanteur. Tout pesait dans ce film (...) Les portes elles-mêmes (...) étaient pesantes. »(279)

Que Saint-Exupéry l'ait voulu ou, à l'instar de son metteur en scène, qu'il y ait abouti à son insu (!), il a donné la dureté nietzschéenne comme commune mesure de son second livre.

La hiérarchie des personnages de *Vol de Nuit* transpose en procédé de roman une conception nietzschéenne de la hiérarchie sociale. Le traducteur de Nietzsche avait publié, en même temps que l'essentiel de *Zarathoustra* et en annexe, des fragments des œuvres posthumes de l'écrivain allemand. Parmi ces extraits divers figure un texte très ramassé où Nietzsche décrivait certains types d'hommes supérieurs ou inférieurs qu'il répartissait en trois catégories :

« 1. Ceux qui COMMANDENT, les puissants qui n'aiment pas, si ce n'est les images d'après lesquelles ils créent. Les êtres abondants, multiples, absolus qui surmontent ce qui existe.

» 2. Ceux qui sont OBEISSANTS, les « libérés » — l'amour et la vénération sont leur bonheur ; ils ont le sens de ce qui est supérieur...

» 3. Les ESCLAVES, l'espèce « serve »... » (280)

C'est précisément à une telle hiérarchie que l'auteur de *Vol de Nuit* a eu recours pour répartir les personnages de son roman, sans, toutefois, insister sur l'échelon inférieur et lui vouer le mépris de Nietzsche.

Rivière est le chef du réseau continental de la Compagnie de navigation aérienne. A Robineau, son inspecteur subalterne, il inculque les principes et les secrets du commandement. « — Vous commanderez peut-être à ce pilote, la nuit prochaine, un départ dangereux : il devra obéir. » (281) Rivière « crée » ses hommes et les événements. S'il aime les hommes, c'est d'un nouvel amour, celui dont Nietzsche avait dit qu'il s'élevait au-dessus de la pitié et de la communication : « Aimer, aimer seulement, quelle impasse ! » (282) ; « Aimez ceux que vous commandez. Mais sans le leur dire. » (283)

Tous les autres personnages du roman, à l'exception de Simone Fabien, femme de l'aviateur, qui incarne une autre « vérité », tous ont pour mission essentielle d'obéir à leur chef. Sans doute les aviateurs de Rivière sont-ils les plus accomplis parmi les « libérés » dont parlait Nietzsche et que Saint-Exupéry a fait agir dans son récit. Il est une forme de cette libération sur laquelle l'auteur de *Vol de Nuit* insiste passablement : l'affranchissement de la peur. Surpris du pouvoir qu'il détient, Rivière constate au sujet de l'un de ses pilotes : « Je le sauve de la peur. » (284) L'inspecteur Robineau, lui, incarne la vénération pathétique que le subalterne voue à son chef. Il est peu intelligent ; il ne sait, il ne doit qu'obéir. Quant aux « esclaves », l'auteur de *Vol de Nuit* les a traités avec moins de dédain que Zarathoustra, mais avec autant de sévérité et de dureté : « ... quant à Roblet, à partir d'aujourd'hui, il ne fait plus partie de notre personnel. (...) Je vous offre une place de manœuvre. » (285)

Après *Vol de Nuit*, Saint-Exupéry n'a pas renoncé à la hiérarchie sociale que proposait Nietzsche. Il y est revenu dans *Citadelle.* Dans ce livre, il a insisté sur les possibilités de surpassement et sur la noblesse de l'homme ; il a fait plus, il a rejoint la pensée de Zarathoustra et n'a pas hésité, parfois, à clamer son mépris des hommes inférieurs, à la manière du prophète :

Citadelle.

« Ainsi de l'homme sans hiérarchie, et qui jalouse son voisin (...) Je rétablis les hiérarchies là où les hommes se rassemblaient comme les eaux, une fois qu'elles se sont mêlées dans la mare. Je bande les arcs. De l'injustice d'aujourd'hui, je crée la justice de demain. Je rétablis les directions, là où chacun s'installe sur place et nomme bonheur ce croupissement. Je méprise les eaux croupissantes de leur

Zarathoustra.

« Zarathoustra ne peut rendre heureux qu'une fois que la hiérarchie est établie (...) La hiérarchie appliquée en un système de gouvernement de la terre : les maîtres de la terre, en fin de compte, une nouvelle caste dominante. De cette caste naît (...) le Surhumain, le transfigurateur de l'existence... (287)

» Et d'autres sont fiers d'une parcelle de justice (...) de sorte justice et délivre celui qu'une belle injustice a fondé. Et ainsi j'ennoblis mon empire. » (286)

que le monde se noie dans leur injustice. (...) Et il en est d'autres encore qui croupissent dans leur marécage et qui (...) se mettent à dire : « Vertu, c'est se tenir » tranquille dans le marécage... » (288)

Il est évident que Saint-Exupéry s'est souvenu de *Zarathoustra* dans bien des chapitres de l'œuvre posthume, et tout particulièrement dans ceux où il met en scène son « ennemi bien-aimé ».

Au chapitre XXXII de *Citadelle*, l'auteur déclare : « Cette année-là mourut celui qui régnait sur l'Est de mon empire. Celui-là que j'avais durement combattu, comprenant après tant de luttes que je m'appuyais sur lui comme contre un mur. Je me souviens encore de nos rencontres. On dressait une tente pourpre dans le désert... » (289) On se rappellera que Saint-Exupéry avait présenté « le seul géomètre véritable » dans des circonstances analogues et sous un voile d'allégorie très semblable ; il le recevait sous sa tente, parfois, pendant des nuits d'insomnie. L'auteur de *Citadelle* lisait-il Nietzsche comme il méditait Pascal ? A-t-il voulu présenter Nietzsche sous le déguisement de l'ennemi bien-aimé (l'« ennemi cruel », dans *Courrier-Sud* déjà), qui régnait jadis « sur l'Est » de son domaine ? N'a-t-il pas, en tout cas, voulu révéler dans son ennemi bien-aimé de convention, une véritable propension nietzschéenne de sa nature ou de son désir ? Ceci est d'autant plus probable que le penchant de Saint-Exupéry au surhumain, dans l'évolution créatrice, et ses aspirations pascaliennes à la foi, dans le secret espoir d'une révélation probante, constituent les deux démarches fondamentales et irréconciliables d'une pensée qui n'en a entrevu la fusion définitive que dans l'accomplissement de la mort : « Seigneur, de (...) l'ennemi bien-aimé, du géomètre (...) et de moi-même (...) daigne faire l'unité... » (290)

Nous voudrions citer quelques extraits du chapitre XXXII de *Citadelle*, où l'écrivain, après avoir présenté son personnage allégorique, médite à son sujet, en s'inspirant du message de Nietzsche :

Citadelle.

« L'homme inférieur invente le mépris, car sa vérité exclut les autres (...) La seule estime qui vaille est l'estime d'un ennemi. Et l'estime des amis ne vaut que s'il domine leur reconnaissance et leurs remerciements et tous leurs mouvements vulgaires. Si tu meurs pour ton ami je t'interdis de t'attendrir... » *(pp. 551-552).*

Zarathoustra.

« Vous ne devez avoir d'ennemis que pour les haïr et non pour les mépriser. Vous devez être fiers de votre ennemi. *(p. 65)*

» ... si vous avez un ennemi, ne lui rendez pas le bien pour le mal ; car il en serait humilié. Démontrez-lui, au contraire, qu'il vous a fait du bien. *(p. 94)*

» ... Qui de nous deux doit dire merci ? N'est-ce pas au donateur à remercier celui qui a échappé d'avoir bien voulu prendre ? » *(p. 325).*

Citadelle.

« ... il était bon qu'ils crussent d'abord à mon arbitraire (...) jamais compatissant, bien au-dessus, bien au-delà... » *(p. 533).*

Zarathoustra.

« ... Conquérir le droit de créer des valeurs nouvelles (...) Il aimait jadis le « Tu dois » (...) maintenant il lui faut trouver l'illusion et l'arbitraire... » *(p. 38).*

Citadelle explique *Courrier-Sud* où Saint-Exupéry évoquait déjà des souvenirs de collège et introduisait Nietzsche dans ses œuvres, en disant : « lui qui ne voyait pas d'ennemi plus cruel dans la vie, pour des enfants qui sortent du collège, que Nietzsche, il nous avouait des tendresses coupables. Nietzsche... Nietzsche lui-même le troublait. » (291) Du premier roman au testament poétique, Saint-Exupéry ne s'est pas contredit.

En terminant cette étude des empreintes nietzschéennes, il nous reste à souligner un aspect particulièrement heureux de ce problème, dont on peut suivre le développement continu dans toute la production littéraire de l'aviateur. Celui-ci a attendu « l'archange ». Ou plutôt, il a souhaité la venue de deux archanges de nature bien distincte. Le premier, qu'il n'a jamais cessé d'espérer et qu'il a même entrevu sous les traits de certains héros, est le symbole de l'homme accompli, au terme du lent devenir de la race. Il n'a pas eu recours au vocable nietzschéen de « surhomme » ; il lui a substitué un terme plus évocateur, mais qui recouvre le même concept : l'archange.

Le deuxième archange, Saint-Exupéry nous fait savoir qu'il a fini par ne plus croire à son avènement, à son apparition : c'est l'archange divin, le Signe révélateur, la « preuve » de la Grâce qu'il a longtemps souhaitée :

« — Seigneur (...) j'ai besoin d'un signe. » (292) Mais ce signe d'en-haut ne lui ayant pas été accordé, il en a dit : « Que recevrais-je, puisque je sais qu'il n'est point de ta dignité, ni même de ta sollicitude, de me visiter à mon étage et que je n'attends rien du guignol des apparitions d'archanges. » (293) Si, dans ses moments de dépression surtout, Saint-Exupéry a pu renoncer à espérer l'apparition de l'archange céleste, il a, par contre, œuvré jusqu'au bout pour participer à la création de l'archange terrestre, à l'avènement du surhomme de Nietzsche. Cet archange-là joue un rôle discret mais décisif dans toute la production littéraire de l'aviateur.

Dans *Courrier-Sud*, le héros aviateur, Bernis, est présenté comme un « archange triste » (294), dès le moment où il reprend contact avec la terre et ses bassesses, après un vol effectué dans « le vieux paysage, le seul, l'éternel ».

C'est à la même image que l'auteur de *Terre des Hommes* a recours quand il célèbre la gravité héroïque d'un pilote : « Ce camarade aux lourdes épaules me parut d'une étrange noblesse ; il laissait, sous sa rude écorce, percer l'ange qui avait vaincu le dragon. » (295) Dans le même ouvrage, Saint-Exupéry raconte comment il a un jour racheté un esclave à ses maîtres arabes, pour ensuite le libérer et le reconduire dans son village d'origine ; il décrit cet esclave, Bark, après sa libération, comme « un archange trop léger pour vivre de la vie des hommes. » (296) Un peu plus loin dans le récit, il dit du nomade qui vient de lui sauver la vie : « Il y a ce nomade pauvre qui a posé sur nos épaules des mains d'archange. » (297)

S'agissait-il, dans ces passages, d'une simple figure de style? *Citadelle* nous apprend qu'il y était bien question d'un type idéal d'homme supérieur dont Saint-Exupéry a toujours entretenu la vision et à la création duquel il a travaillé. Voici quelques textes qui contiennent des allusions à cet homme accompli qui devra naître un jour, comme au terme d'une longue mue et d'un développement cruel, après la destruction du vieil homme :

« Etre juste (...) il faut choisir. Juste pour l'archange ou juste pour l'homme ? Juste pour la plaie ou pour la chair saine ? Pourquoi l'écouterai-je, celui-là qui vient me parler au nom de sa pestilence ? (...) Pourquoi prendrai-je le parti de ce qui est contre ce qui sera ? De ce qui végète contre ce qui demeure en puissance ? (298)

» ... Alors, si je les vois pourrir je les tranche sans m'occuper d'eux mais je porte ailleurs mes regards. Ce ne sont point des hommes qui pourrissent. C'est un homme qui pourrit en eux. Et je me penche sur la maladie de l'archange. (299)

» ... Les temps cruels réveillent l'archange endormi. Qu'il craque à travers nous ses langes et éclate sous les regards. » (300)

Dans de tels extraits, on rejoint l'essentiel de la promesse nietzschéenne du « Surhumain » que, chez l'auteur de *Zarathoustra* comme chez celui du *Petit Prince*, l'enfant qui naît contient en puissance. Le « dans tout homme véritable se cache un enfant » (301) de Nietzsche n'a pas manqué d'éveiller des échos dans la pensée de celui qui a revécu son enfance, pendant ses heures innombrables de vol, aussi bien par le rêve que dans l'effort méthodique du souvenir volontaire.

Certes, la volonté nietzschéenne du Surhumain a perdu beaucoup de sa virulence, en passant dans les œuvres de Saint-Exupéry. Elle y joue cependant un rôle fort important ; n'est-ce pas elle qui a mis l'écrivain sur la voie du retour vers l'enfance, cette autre forme de l'éternel retour de Nietzsche ?

Elie Faure, André Gide, Frédéric Nietzsche : le cercle se referme. Tous trois sont sortis du protestantisme et ont poursuivi à des degrés et sur des plans divers, l'œuvre du visionnaire des âmes belles (schöne Seelen), Goethe. Tous trois ont cessé ou refusé de croire, un jour, à une Révélation divine qui leur a paru insuffisante ou inacceptable ; ils ont ensuite tenté de justifier l'univers en tant que phénomène esthétique ; en dernière analyse, ils ont, tous trois, prétendu montrer aux hommes les moyens dont ils disposent pour se surpasser, sans l'aide de la Grâce. Saint-Exupéry s'est nourri de la pensée de ces trois précurseurs, dans les domaines qu'ils ont choisis, individuellement, pour exprimer leurs certitudes.

Cependant, en se refermant sur l'auteur de *Citadelle*, le cercle a inclus Pascal que Saint-Exupéry lisait, et que, fait remarquable, aucun de ses maîtres n'avait mis au rang de ses « impossibilités », pour reprendre le mot de Nietzsche. De plus, s'ils se sont un jour libérés d'une certaine forme du moralisme réformé pour tendre vers le scepticisme et vers l'amoralisme, ni Nietzsche, ni ses deux disciples français n'en sont restés là ; selon leur tempérament propre, ils ont élevé ce scepticisme au niveau d'un enthousiasme, d'une ferveur, d'une mystique. Néanmoins, aucune de ces fois nouvelles ne devait faire retour au christianisme dont elles étaient parties. Saint-Exupéry, lui non plus, ne retiendra pas l'idée qu'il puisse y avoir un médiateur entre lui et le Dieu qu'il envisage. Cependant, parmi cent prières au cours desquelles l'auteur de *Citadelle* adorera un Dieu qu'il établit au terme du devenir, il en est une où il déclarera « venir » de Dieu : « Car j'ai trouvé la paix, Seigneur, au cours de ma prière. Je viens de toi. » (302) Pascal a-t-il aidé Saint-Exupéry à gagner, ne fût-ce que provisoirement, cette paix et cette certitude ? Il est en tout cas le seul qui — contre Nietzsche, contre Elie Faure, et contre André Gide — ait pu lui inspirer de telles paroles. (303)

Dans ce qui précède, nous pensons avoir mis en évidence les plus importantes des sources que Saint-Exupéry s'est choisies. Il nous reste à relever, dans ce chapitre, les traces de quelques emprunts secondaires.

En ordre d'importance, il convient de signaler la *Bible*, où l'écrivain a pu puiser des thèmes lyriques, des images poétiques et des enseignements moraux qu'il a pris à rebours.

A l'*Ecclésiaste* (304), comme l'auteur de *Zarathoustra*, il a emprunté parfois un ton et un style particuliers, représentatifs de la sagesse lyrique de l'Ancienne Alliance. Sur les traces de Gide, il a utilisé le thème du *Cantique des Cantiques* et le personnage symbolique de la Sulamite. Aux *Evangiles*, il a demandé des pensées dont il a pris la contrepartie pour en tirer des effets de polémique.

Sauf dans *Citadelle*, l'inspiration biblique est pour ainsi dire imperceptible dans les ouvrages de Saint-Exupéry. Il faut, bien entendu, mettre à part le chapitre XI de la Deuxième Partie de *Courrier-Sud*. L'action se passe à Notre-Dame ; un prédicateur paraphrase l'*Evangile :* « Le royaume des Cieux, commença le prédicateur, le royaume des Cieux... » (305). Le sermon ne convainc pas Bernis qui sort de la cathédrale sans avoir obtenu ce qu'il est venu y chercher ; il n'a « pas entendu l'acte de foi, mais un cri parfaitement désespéré. » (306)

Dans *La Lettre à un Otage* on peut percevoir les échos pourtant lointains des exhortations que Paul et Pierre adressaient aux fidèles de leurs communautés persécutées, et qu'ils communiquaient dans leurs *Epîtres.* C'est en particulier dans le Troisième Chapitre de la *Lettre*, et dans le dernier, que l'auteur a recours à un certain vocabulaire pastoral pour exprimer ses sentiments. Il mentionne d'ailleurs la *Bible* dans le corps d'une métaphore : « Mais cet accord était si plein, si solidement établi en profondeur, il portait sur une bible si évidente dans sa substance, bien qu'informulable par les mots... » (307) ; « Ainsi savourions-nous cette entente muette et ces rites presque religieux. Bercés par le va-et-vient de la servante sacerdotale, les mariniers et nous trinquions comme les fidèles d'une même Eglise... » (308) Les toutes dernières phrases de la *Lettre* évoquent plus nettement les *Epîtres*, par le ton autant que par le vocabulaire : « Car c'est bien vous qui nous enseignerez. Ce n'est pas à nous d'apporter la flamme spirituelle à ceux qui la nourrissent déjà de leur propre substance (...) Vous ne lirez peut-être guère nos livres. Vous n'écouterez peut-être pas nos discours. Nos idées, peut-être les vomirez-vous (...) Vous êtes les saints. » (309) Mais, en définitive, s'il s'est souvenu des *Epîtres,* c'est dans un esprit différent de celui des conducteurs évangéliques que Saint-Exupéry s'est exprimé. Paul et Pierre ne rédigeaient précisément leurs lettres que pour transmettre la flamme spirituelle ; leurs *Epîtres* ne tendaient qu'à exhorter leurs fidèles à plus de sainteté : « ... vous aussi soyez saints dans toute votre conduite (...) Vous serez saints, car je suis saint. » (310)

Si la *Lettre* ne fait que rappeler un certain langage biblique, et si les divers récits de Saint-Exupéry se contentent d'évoquer « des nuits de Bible, faites d'étoiles et de vent, » (311) il n'en est pas de même de *Citadelle* qui, dans son état d'inachèvement, contient des pages d'imitation biblique.

L'Ecclésiaste.

Nietzsche, Faure ou Gide, chacun des trois auteurs aurait pu ouvrir à Saint-Exupéry les pages de ce livre. Le premier s'en était inspiré en composant *Zarathoustra* (312) ; le deuxième avait célébré, dans son *Montaigne* principalement, le lyrisme que dissimulent les maximes désabusées de l'écrivain biblique (313) ; et dans ses *Nourritures,* le troisième avait pris des leçons de style. (314)

Le sage biblique avait manié l'antithèse dans une longue énumération de sentences qui recouvrait huit versets ; Saint-Exupéry a utilisé ce procédé dans sa recherche d'une écriture appropriée à la solennité du message :

Citadelle.

« Car il est un temps pour choisir parmi les semences, mais il est un temps pour se réjouir (...) Il est un temps pour la création, mais il est un temps pour la créature. Il est un temps pour la foudre (...) mais il est un temps pour les citernes (...) Il est un temps pour la conquête, mais vient le temps de la stabilité des empires (...) j'ai le goût de l'éternité. » (315)

Ecclésiaste.

« Il y a un temps pour tout, un temps pour toute chose sous les cieux : un temps pour naître, et un temps pour mourir ; un temps pour planter, et un temps pour arracher ce qui a été planté ; un temps pour tuer, et un temps pour guérir ; un temps pour abattre et un temps pour bâtir ; un temps pour pleurer, et un temps pour rire... (316)

» ... il a mis dans le cœur la pensée de l'éternité. » (317)

De tous les livres bibliques, l'*Ecclésiaste* est celui qui a exercé l'influence la plus profonde sur le style des premiers chapitres de *Citadelle.* Ces quelques extraits des deux textes suffiront à établir la relation :

« Car j'ai vu trop souvent la pitié s'égarer. Mais nous qui gouvernons les hommes, nous avons appris à sonder leurs cœurs afin de n'accorder notre sollicitude qu'à l'objet digne d'égards... (318)	« Moi, l'Ecclésiaste, j'ai été roi d'Israël (...) J'ai appliqué mon cœur à rechercher et à sonder par la sagesse tout ce qui se fait sous les cieux (...) J'ai vu tout ce qui se fait sous le soleil ; et voici, tout est vanité... (321)
» J'ai vu les femmes plaindre les guerriers morts... (319)	» Et j'ai vu que la sagesse... (322)
» Certes, j'ai vu des hommes fuir la mort... » (320)	» J'ai vu que tout travail (...) n'est que jalousie... » (323)

Il est clair que les passages suivants de *Citadelle* évoquent, eux aussi, le livre de *l'Ecclésiaste :*

« — A peser et tourner le livre du prophète (...) l'illettré manque l'essentiel qui est non l'objet vain mais la sagesse divine... (324)

» ... Seule compte la sagesse qu'apporte le livre... (325)

» ... C'est alors que je reçus de la sagesse de Dieu des enseignements sur le pouvoir. » (326)

Le tout premier mot de *Citadelle* est la conjonction « car ». La plupart des traductions françaises de *l'Ecclésiaste* ont tenu à utiliser ce terme ; dans de nombreux versets, il ouvre la phrase nouvelle mais renvoie, du même coup, à une proposition formulée juste avant, avec laquelle il établit un lien de causalité. En un sens, cette conjonction est l'exposant de la sagesse causative de l'écrivain biblique. Comme Nietzsche (327), Saint-Exupéry a tiré des effets de style de ce vocable ; il lui a accordé la première place dans la phrase d'ouverture d'un chapitre, supprimant ainsi la proposition dont ce mot devrait normalement introduire la raison ou la preuve : « Car j'ai vu trop souvent la pitié s'égarer. » (328)

Dans *Courrier-Sud,* déjà, l'écrivain s'efforçait vers le solennel en se servant de ce terme trois fois de suite dans une même phrase : « car ils ne s'étonnaient pas (...), car ils nous traitèrent sans transition comme des hommes, car ils coururent chercher une bouteille de vieux Samos... »[329]

Saint-Exupéry, d'autre part, s'est souvenu d'un personnage fort significatif des proverbes et des sentences hébraïques : l'insensé.

Citadelle.

« J'entends la voix de l'insensé. (330)

» ... C'est pourquoi j'ai toujours méprisé comme vain le vent des paroles (...) Car l'habileté n'est qu'un vain mot. » (331)

L'Ecclésiaste.

« La voix de l'insensé se fait entendre dans la multitude des paroles... (332)

» ... J'ai vu que (...) toute habileté dans le travail n'est que jalousie de l'homme (...) C'est encore là une vanité et la poursuite du vent. » (333)

Dans l'image qui suit, Saint-Exupéry rejoint la conclusion du sage de l'Ancien Testament :

« S'ils se bâtissent des maisons pour y vivre, à quoi bon échanger leurs vies contre leurs maisons ? Puisque cette maison doit servir leur vie et rien d'autre (...) Et quand ils s'en vont, il n'est plus rien. » (334)

« J'exécutai de grands ouvrages : je me bâtis des maisons (...) Puis, j'ai considéré tous les ouvrages (...) et voici, tout est vanité et poursuite du vent... » (335)

Cependant, si Saint-Exupéry s'est inspiré du style et du ton de *l'Ecclésiaste*, il ne s'est pas attaché à la leçon du prophète. Là où cet enseignement semble s'imposer dans le texte de Saint-Exupéry, il est immédiatement neutralisé ou corrigé par le contexte. L'auteur de *Citadelle* n'a que faire du désabusement ou des avertissements du sage antique ; il n'a d'autre but que celui d'inviter les hommes à durer, en créant pour les générations à venir, le cadre social qui leur permettra de raffermir l'espèce. En dernière analyse, Saint-Exupéry exhorte son peuple à fonder sur la terre une éternité que le roi d'Israël n'envisageait que dans l'au-delà.

De plus, il faut s'empresser de le rappeler, la sagesse sentencieuse et désabusée des premiers chapitres de *Citadelle* n'a pas tardé à céder sous la poussée d'un élan lyrique beaucoup plus affirmatif.

Le Cantique des Cantiques.

Saint-Exupéry en a réutilisé le thème central et un certain vocabulaire particulièrement évocateur. Les textes qui suivent en font la preuve :

Citadelle.	*Cantique des Cantiques :*
Ch. XXIX : « — Ma colombe, lui disais-je, ma tourterelle, ma gazelle aux longues jambes (...) car dans les mots que j'inventais je cherchais à la saisir, l'insaisissable ! (...) Et je criais : « Où êtes-vous ? » Car je ne la reconnaissais point. » *(p. 524)*	« Ma colombe qui te tiens dans les fentes du rocher (...) Et la voix de la tourterelle se fait entendre (...) Mon bien-aimé est semblable à la gazelle (...) Je l'ai cherché, et je ne l'ai point trouvé... (II,14,12,9 ; V,16)
Ch. XXXVII : « Elles se faisaient construire des litières d'argent et (...) elles étaient précédées d'émissaires qui se chargeaient d'annoncer leur passage (...) » Alors elles écartaient le voile de soie de leurs visages (...) » Et la foule était invitée à voir préparer le lait pour leur bain. Et l'on ajoutait des aromates et du lait de fleurs... » *(p. 540)*	» Le roi Salomon s'est fait une litière (...) Il en a fait les colonnes d'argent (...) Voici la litière de Salomon, et autour d'elle soixante vaillants hommes... (III, 7-10) » Ils m'ont enlevé mon voile... (V,7) » ... se baignant dans le lait (...) Ses joues sont comme un parterre d'aromates, une couche de plantes odorantes... (V,13)
Ch. LIII : « J'ai attendu moi-même dans ma jeunesse l'arrivée de cette bien-aimée que l'on me ramenait pour épouse au fil d'une caravane... » ... Et ses seins tièdes comme des colombes pour l'allaitement. Et son ventre lisse... » *(pp. 569-570)*	» Qui est celle qui monte du désert, appuyée sur son bien-aimé ? (VIII,5) » Ses yeux sont comme des colombes... (V,12) » Tes deux seins sont comme deux faons... » (VII,4)

On peut encore relever, dans *Citadelle,* des allusions à d'autres livres de l'Ancien Testament ou des souvenirs de lecture qui renvoient à des sources hébraïques. Il faut pourtant nous en tenir à l'essentiel et considérer maintenant l'apport du Nouveau Testament à l'œuvre posthume de Saint-Exupéry.

Le procédé le plus courant consiste à insister sur la contrepartie d'une vérité évangélique dont l'auteur se souvient. En voici deux exemples :

Citadelle.	*Nouveau Testament.*
« C'est pourquoi également j'enferme la femme dans le mariage et ordonne de lapider l'épouse adultère. » *(p. 439)*	« Maître, cette femme a été surprise en flagrant délit d'adultère. Moïse, dans la loi, nous a ordonné de lapider de telles femmes : toi donc, que dis-tu ? (...) Que celui de vous qui est sans péché jette le premier la pierre contre elle. » (Jean, VIII:4-7)
« Quiconque a été honoré ne peut être avili. » *(p. 465)*	« Quiconque s'élèvera sera abaissé, et quiconque s'abaissera sera élevé. » (Matth., XXIII:12)

C'est encore au Nouveau Testament que l'auteur de *Citadelle* emprunte des expressions d'autorité comme « Car je te le dis... » [336], « Car je vous le dis, moi... » [337], ou des images qu'il retient des paraboles du Christ : « Homme sans levain » [338], « Seigneur (...) je suis un mauvais berger... [339], etc.

Tandis qu'il s'est éloigné de l'esprit du Christianisme, Saint-Exupéry semble en avoir conservé un certain goût de la lettre. Il a beaucoup médité sur la valeur et sur la signification des rites et du cérémonial ; ces éléments figurent dans sa définition du poème parfait. [340]

Saint-Exupéry a aussi fait usage du symbole de la cathédrale. Cet édifice lourd de sens se dressait déjà dans le premier récit de l'aviateur. Il apparaît comme un symbole de création collective qui tend vers le divin, aux dernières pages de *Pilote de Guerre.* Il occupe une grande place dans l'imagerie architecturale de *Citadelle.*

Enfin, ce n'est pas le pur hasard qui a disposé dans les œuvres de Saint-Exupéry un Credo et un Décalogue. Le premier figure à la fin de *Pilote de Guerre* (341) ; le second, au cœur de *Citadelle.* (342)

A mesure qu'il renonçait à la morale chrétienne, Saint-Exupéry a conservé ou intégré dans son symbolisme des éléments toujours plus nombreux d'une esthétique chrétienne, ou plutôt, catholique romaine. (343) En fait, il a utilisé cette esthétique en lui faisant recouvrir des valeurs culturelles qui nient la foi chrétienne, mais proposent, en même temps, une forme de la mystique qui s'apparente souvent à la piété chrétienne.

En marge de l'influence biblique, il nous reste à citer quelques textes où Saint-Exupéry s'est souvenu d'un poème biblique de Leconte de Lisle : *La Vigne de Naboth.* Le « prophète bigle » de *Citadelle* présente les mêmes traits physiques et moraux que ceux de l'Elie des *Poèmes Barbares* :

Citadelle.	*La Vigne de Naboth.* (344)
« Je me souviens de ce prophète au regard dur et qui par surcroît était bigle (...) Un courroux sombre... *(p. 696)*	« Au fond de sa demeure, Akhab, l'œil sombre et dur. *(p. 22)* » Je me lève dans la fureur qui me consume. *(p. 52)*
» Car revint me voir ce prophète aux yeux durs... *(p. 734)*	
» ... qui, nuit et jour, couvait une fureur sacrée... *(p. 905)*	» Ma fureur fauchera cette race infidèle. *(p. 34)*
» Il convient, me dit-il, de les exterminer. *(p. 696)*	» Que l'Exterminateur me brûle de son feu ! *(p. 29)*
» Si j'entends bien, se hérissa le prophète bigle... *(p. 697)*	» Et le poil se hérisse autour de sa narine. *(p. 50)*
» Tu n'es qu'une outre pleine d'un vent de paroles. » *(p. 603)*	» N'étant plein que de vent, comme une outre sonore. » *(p. 29)*

Sans doute pourrait-on relever d'autres empreintes que celles que nous avons mentionnées. Nous ferons d'ailleurs allusion, dans les deux chapitres suivants, à des noms et à des œuvres qui figuraient dans notre introduction, et dont il n'a pas été question dans cette étude des sources : Baudelaire et les *Contes de Fées,* en particulier.

Il importait, d'abord, de mettre en évidence les liens les plus profonds qui rattachent l'auteur de *Citadelle* à ses prédécesseurs. Un homme, surtout, a su communiquer à Saint-Exupéry son rêve grandiose d'une réinterprétation esthétique de l'univers. L'idéal d'Elie Faure, c'est Nietzsche qui l'avait suscité dans une large mesure. Dans cette esthétique générale, André Gide occupe la place qui lui revient : son influence s'exerce dans le domaine littéraire, presque exclusivement. Et le point de vue de Gide, lui aussi, est issu en grande partie de la pensée de Nietzsche : « Le point de vue esthétique est le seul où il faille se placer pour parler de mon œuvre sainement. » (*Journal,* 25 avril 1918)

Antoine de Saint-Exupéry, replacé dans son contexte d'influences, ne peut manquer d'apparaître comme l'héritier français le plus favorisé de la pensée de Nietzsche ; une bonne partie de son œuvre consacre en effet le triomphe symbolique de Nietzsche. Au contact des ouvrages des trois écrivains dont nous avons tenté de mesurer l'apport, Saint-Exupéry a accueilli des notions dont le commun dénominateur élémentaire est de rétablir l'homme dans sa fonction essentielle de *créateur,* en lui montrant ce qu'il peut devenir sans l'aide de la Grâce, avec ses moyens d'homme.

Cependant, dans cet ensemble homogène et dans cette vision esthétique globale, nous avons constaté la présence d'éléments et de besoins métaphysiques, incompatibles avec ce système : la lecture de Pascal alimente un espoir déchirant de ressentir la Grâce.

Présenté sous l'angle des influences littéraires, ce combat peut paraître inégal. Nous n'en avons évidemment souligné qu'un aspect, au détriment de l'originalité de l'auteur. Et la suite de cette étude ne laissera pas de faire les mises au point nécessaires. L'essentiel, dans ce premier chapitre, était de mettre en évidence les forces extérieures qui ont agi sur Saint-Exupéry, nourri ses dialogues intérieurs et avivé l'antagonisme essentiel dont il a vécu.

NOTES EXPLICATIVES.

Chapitre premier.

1. cf. R.-M. Albérès, *Saint-Exupéry*, Paris, 1946.

Daniel Anet, *Antoine de Saint-Exupéry*, Paris, 1946.

2. cf. Jacques Fermaud, « L'Inquiétude chez Antoine de Saint-Exupéry », *PMLA*, LXI, 1946, pp. 1201-1210.

André Gascht, *L'Humanisme Cosmique de Saint-Exupéry*, Bruges, 1947.

3. cf. Renée Zeller, *La Vie Secrète de Saint-Exupéry*, Paris, 1948.

4. Pierre Chevrier, *Antoine de Saint-Exupéry*, Paris, 1949.

5. Ibid., p. 204.

6. Id.

7. F.A. Shuffrey, « Antoine de Saint-Exupéry », *French Studies*, V,3, July 1951, pp. 245-246. Nous traduisons : « On devrait utiliser le mot *littérature* avec prudence, car, au sens restreint du terme, aucun écrivain ne fut moins *littéraire* que S.-E. Dans ses œuvres, il est douteux que le lecteur puisse découvrir une seule citation d'un autre auteur, une seule allusion à n'importe quelle forme d'art, une seule comparaison à n'importe quel mode d'expression artistique. Il a créé peu ou pas de personnages fictifs, et aucune portion considérable de ses œuvres n'est de la fiction pure (...) Aucun artifice, nulle fiction, pas de pose : la pure et simple nécessité de s'exprimer soi-même... »

8. Philip A. Wadsworth, « Saint-Exupéry, Artist and Humanist », *Modern Language Quaterly*, Vol. XII,1, March 1951, pp. 96-97. Nous traduisons : « ... c'est une erreur d'envisager Saint-Exupéry comme un auteur indépendant, réfractaire aux forces qui pèsent sur le monde des lettres. »

9. « Books I Remember », *Harper's Bazaar*, April 1941, pp. 82,123.

10. Wadsworth, p. 97. Notre traduction : « Il avait reçu une bonne formation dans les humanités et dans la philosophie classique, et on sent — bien que la relation exacte soit plutôt intangible — qu'il comptait certains penseurs modernes parmi ses ancêtres spirituels : Barrès, Bergson, parfois même Maritain (...) Nietzsche qu'il cite (...) Elie Faure, un admirateur et un interprète de Nietzsche, semble avoir fait une contribution majeure aux idées de Saint-Exupéry sur l'art et l'esthétique, et même à son répertoire de symboles et d'images, comme on pourrait le montrer en étudiant soigneusement *Les Constructeurs* et *La Danse sur le feu et l'eau.* L'influence de son ami André Gide — et Gide lui-même y a fait allusion dans sa préface à *Vol de Nuit* — peut souvent se remarquer dans certaines tournures de style (...) Une autre voix, celle de Pascal, résonne... ».

11. Ibid. p. 96 : « ... and he has never been a subject of a major literary study. One would like to know more about his education, about the reading that helped to shape his mind... » : « on n'en a pas encore fait l'objet d'une étude littéraire importante. On aimerait en savoir davantage sur son éducation, sur les lectures qui ont contribué à façonner sa pensée... »

12. Georges Pélissier, *Les Cinq Visages de Saint-Exupéry*, Paris, 1951.

13. D. Anet, *Antoine de Saint-Exupéry.*

14. Wadsworth, « Saint-Exupéry, Artist and Humanist ».

15. Saint-Exupéry, *Œuvres Complètes (Citadelle),* Paris, 1950 *, p. 926 : « J'ai donc, mon travail achevé, embelli l'âme de mon peuple. »

16. Elie Faure, *Regards sur la Terre Promise*, Paris, 1936.

17. Elie Faure, *Méditations Catastrophiques*, Paris, 1937.

18. *O.C.*, p. 717 : « Et en effet j'accepte jusqu'au risque de mort pour achever ma création. »

19. *O.C. (Terre des Hommes)*, p. 267.

20. *O.C. (Citadelle)*, p. 926 ; dernière phrase de l'œuvre posthume telle qu'elle a été publiée.

21. cf. par ex., des documents littéraires, des brevets d'aviation, de nouvelles structures de physique...

22. *O.C.*, Gallimard, Paris, 1950.

23. *O.C. (Courrier-Sud)*, p. 85.

24. André Gide, *Prétextes*, Paris, 1929, p. 167 : « Grâces soient rendues à M. Henri Albert qui nous donne enfin *notre* Nietzsche, et dans une fort bonne traduction... »

25. Frédéric Nietzsche, *Ainsi parlait Zarathoustra*, Paris, 1914, p. 137.

26. *Confluences*, VIIe année, nouv. série, n°s 12-14, pp. 189-198.
cf. *Carnets*, Gallimard, Paris, 1953, pp. 149-151.

27. *Confluences*, p. 190 ; cf. Charles Baudelaire, *Œuvres Complètes*, Pléiade, Gallimard, Paris, 1951 (éd. en 1 vol.), p. 128.

28. *Confluences*, pp. 193-194.

29. *O.C.*, p. 462.

* N.B. cf. l'abréviation que nous utiliserons dorénavant dans les notes bibliographiques : *O.C. (Œuvres Complètes).*

30. Ibid., pp. :

Enéide, p. 17	Bible, pp. 211, 341
Lucrèce, p. 19	*Ecclésiaste*, p. 19
César, p. 19	Christ, pp. 52-55, 389-400
	Coran, pp. 205, 221, 267, 389, 420
Shakespeare, p. 272	
	Descartes, pp. 19, 268, 341
Racine, p. 19	Pascal, pp. 19, 258, 383
	Newton, pp. 267, 272
Taine, p. 19	Pasteur, pp. 325, 328, 329, 383
Nietzsche, pp. 19, 85	Beethoven, p. 269 ,
	Mozart, pp. 251, 274
Mille et une Nuits, pp. 222, 241	Cézanne, pp. 43, 329
Contes de Fées (passim).	Renoir, p. 383

Léon Werth, pp. 342, 928.

31. Ibid., p. 342 : « Un de mes amis, Léon Werth, a entendu (...) un mot immense, qu'il racontera dans un grand livre. » (Ce livre que Saint-Exupéry n'a pas pu lire, c'est vraisemblablement *Déposition*, Journal 1940-1944, Paris, 1946).

32. cf. l'article de Léon Werth, dans *Confluences*, pp. 61-70.

33. *O.C.*, p. 928.

34. *Henri Matisse*, Paris, 1920.

35. cf. Léon Werth, *Quelques Peintres*, Paris, 1923.

36. cf. Chevrier, *Saint-Exupéry*, p. 32 ; Pélissier, *Les Cinq Visages...*, p. 12 ; Zeller, *La Vie Secrète...*, p. 4.

37. M. Werth nous communiquait les renseignements suivants, le 29 avril 1954 : « Je n'ai pas connu Saint-Exupéry aux environs de 1920... Ce qui est tout à fait certain, *scientifiquement certain*, c'est que Saint-Exupéry et Elie Faure ne se sont jamais rencontrés, qu'ils n'ont jamais été en contact l'un avec l'autre... ».

38. Elie Faure, *Equivalences*, Paris, 1951, p. 344 (publication posthume).

39. Elie Faure, *L'Arbre d'Eden*, Paris, 1922.

40. *O.C.*, pp. 515, 516.

41. Ibid., p. 57.

42. Faure, *L'Arbre d'Eden*, p. 318.

43. Id.

44. *O.C.*, p. 133.

45. Nietzsche, *Zarathoustra*, p. 479.

46. Ibid., p. 496.

47. *O.C.*, pp. 133-134.

48. Notice biographique : Médecin de profession, Elie Faure entrait à *L'Aurore*, dès 1900, comme critique d'art. Jusqu'en 1937, il écrivit des articles sur la philosophie sociale et l'esthétique pour plusieurs revues : *L'Esprit Nouveau*, *Feuillets d'Art*, *La Grande Revue*, *Le Mercure de France*, etc. Ses principaux ouvrages ont contribué à répandre en France l'esthétique nietzschéenne : *Histoire de l'Art*, en 4 volumes (1909, 1911, 1914, 1921), augmentée d'un cinquième volume qui constitue la synthèse de l'histoire de l'art : *L'Esprit des Formes*, 1927 ; *Les Constructeurs*, 1908 ; *La Conquête*, 1917 ; *La Danse sur le feu et l'eau*, 1920 ;

Napoléon, 1922 ; *L'Arbre d'Eden,* 1922 ; *Montaigne et ses Trois Premiers-nés,* 1926 (essais sur Montaigne, Shakespeare, Cervantès et Pascal).

Un essai de chronologie et de bibliographie a paru aux pp. 339 et suiv. d'*Equivalences,* 1951.

Gaston Pagès a décrit l'homme et son œuvre dans un article que *La Grande Revue* publia quelque temps après la mort du critique d'art, en 1937. Il disait notamment : « Esprit foisonnant et excitateur, d'un savoir encyclopédique, possédant (...) une aptitude synthétique extraordinaire, servie par un pouvoir analogique et métaphorique sans second, poète, poète d'idées surtout, comme Pascal, Nietzsche, André Suarès ; il apparaît comme un héraut (héros) de l'art, de la passion esthétique (...). Une telle universalité le mettait en situation de percevoir sans peine et de dégager les éléments communs et les règles communes à tous les arts (...) Le meilleur de son apport est là, dans ces passerelles qu'il jetait (...) entre des formes d'art aussi éloignées et distinctes que peuvent le paraître, à première vue, un portrait, une statue, un vase, un andante, un poème ; dans ces analogies qu'il savait découvrir entre les rythmes auxquels ils obéissent, dans ces harmonies, ces correspondances (au sens baudelairien et rimbaldien du mot) qui les unissent (...) Il savait faire passer la science par le plan de l'esthétique (...) Il traduisait de même la morale en termes d'art, et jamais avec plus de force et de bonheur qu'en sa personne et ses écrits n'est apparu à quel point toute esthétique se trouve intimement conditionnée par une éthique qui la requiert... ». « Vues alternées sur Elie Faure », *La Grande Revue,* n° 5, 41e année, pp. 63-67, G. Pagès reprochait ensuite à Faure son « ton inspiré et vaticinateur », son « caractère un peu trop exclusivement brillant », sa tendance à « prendre ça et là l'effet pour la cause », sa passion de « la conciliation des contraires », etc.

49. *La Danse,* p. 153.

50. Ibid., p. 28.

51. Faure, *Histoire de l'Art,* I, p. 23.

52. Ibid., p. 26.

53. Ibid., pp. 30-32.

54. *La Danse,* p. 12.

55. Ibid., p. 13.

56. *Histoire de l'Art,* I, p. XVIII.

57. *Esprit des Formes,* p. 12.

58. *O.C.,* pp. 448-449.

59. Faure, *Montaigne,* p. 215.

60. *O.C.,* p. 448.

61. Ibid., p. 447.

62. Ibid., pp. 656, 657, etc.

63. Ibid., p. 791.

64. Faure, *L'Arbre,* p. 225.

65. Faure, *Montaigne,* p. 84.

66. *O.C.,* pp. 909, 910, etc.

67. Id.

68. Faure, *Esprit des Formes,* Chap. « Impuissance du Gendarme », pp. 267 et suiv.

69. *La Danse,* p. 85.

70. Ibid., p. 94.

71. Faure, *Esprit des Formes,* p. 285.

72. Faure, *L'Arbre,* pp. 224, 225.

73. *O.C.,* p. 515.

74. Nous tirerons la plupart de nos illustrations de *Citadelle* ; c'est dans cet ouvrage non achevé que nous pouvons surprendre l'auteur quand il fait usage d'un vocabulaire esthétique à l'état brut. C'est là que l'apport linguistique fauréen est le plus perceptible.

75. *Esprit des Formes*, p. 130.
76. *O.C.*, p. 607.
77. Ibid., p. 447.
78. *Esprit des Formes*, p. 81.
79. *La Danse*, p. 89.
80. Ibid., pp. 85, 95, 119.
81. Ibid., p. 165.
82. *O.C.*, p. 496 et passim.
83. Ibid., p. 448.
84. Ibid., p. 642.
85. Ibid., p. 714.
86. *La Danse*, p. 85.
87. Id.
88. *O.C.*, pp. 700, 752 ; cf. *Carnets*, p. 145.
89. *Esprit des Formes*, p. 27.
90. Ibid., pp. 153-154.
91. *O.C.*, p. 849.
92. Ibid., p. 731.
93. *Esprit des Formes*, p. 101.
94. *La Danse*, p. 136.
95. *Esprit des Formes*, p. 154.
96. *O.C. (Terre des Hommes)*, p. 272.
97. Ibid., *(Citadelle)*, p. 580.
98. Ibid., p. 609.
99. *Esprit des Formes*, p. 114.
100. *La Danse*, p. 198.
101. *Esprit des Formes*, p. 65.
102. *O.C.*, pp. 57, 58.
103. Ibid., p. 467.
104. Ibid., p. 468.
105. *Esprit des Formes*, p. 116.
106. Ibid., p. 154.
107. Ibid., p. 155.
108. Ibid., p. 281.
109. *O.C.*, p. 682.
110. Ibid., p. 757.
111. Ibid., p. 107.
112. Ibid., p. 609.
113. Ibid., p. 563.
114. Ibid., p. 546.
115. Op. cit., vol. I., p. V.
116. *La Danse*, p. 28.
117. *Esprit des Formes*, p. 294.
118. *O.C.*, p. 722.
119. Ibid., p. 847.
120. Chevrier, *Saint-Exupéry*, p. 188 ; cf. *Carnets*, pp. 134-135, passage cité par Chevrier, mais sans indication de la source.
121. Id.
122. Ibid., p. 186.
123. Ibid., p. 185.
124. *Esprit des Formes*, p. 160.
125. *Confluences*, p. 192.
126. *Esprit des Formes*, p. 161.
127. *O.C.*, p. 741.
128. *Esprit des Formes*, p. 158.
129. *O.C.*, p. 267.
130. *Esprit des Formes*, p. 156.
131. *Histoire de l'Art*, vol. I., p. XI.
132. *O.C.*, p. 653.
133. Jean Nokermann, «Saint-Exupéry et le sens de Dieu», in *La Revue Nouvelle*, 15 octobre 1948.
134. *Catalogue Général* de la Bibliothèque Nationale, n° 49 (1912), p. 1.222.
135. *O.C.*, pp. 431, 435, 482, etc.
136. *La Danse*, p. 114.
137. *O.C.*, p. 812.
138. Ibid., p. 628.
139. Ibid., p. 912.
140. Id.
141. Ibid., p. 911.
142. Ibid., p. 633.
143. Op. Cit., p. 265.
144. Ibid., pp. 260, 261.
145. *O.C.*, p. 164.
146. Ibid., p. 585.
147. Ibid., p. 661.
148. Ibid., p. 730.
149. Chevrier, *Saint-Exupéry*, p. 163.
150. *Confluences*, p. 192.
151. *O.C.*, p. 683.
152. Ibid., p. 182.

153. Ibid., p. 12.
154. *La Danse*, p. 132.
155. *Esprit des Formes*, p. 24 ; cf. pp. 18, 60, 133, 249.
156. Faure, *Equivalences*, p. 110.
157. *O.C.*, p. 380 ; cf. p. 376.
158. *La Danse*, p. 107.
159. *O.C.*, pp. 386, 578, 651, etc.
160. *L'Arbre*, Chap. « Architecture et Individualisme », pp. 226, 241.
161. *Esprit des Formes*, p. 7.
162. *La Danse*, p. 7.
163. *O.C.*, p. 96.
164. Ibid., pp. 107-108.
165. Ibid., p. 111.
166. Ibid., p. 127.
167. Ibid., p. 149.
168. Ibid., p. 380.
169. Ibid., p. 661.
170. Op. cit., p. 78.
171. Ibid., pp. 76-77.
172. *O.C.*, cf. Chap. XXXII, pp. 530-534.
173. Ibid., p. 531.
174. *Zarathoustra*, pp. 77-78.
175. Faure, *Montaigne et ses Trois Premiers-nés*, Paris, 1926 ; *Essai* sur Pascal, pp. 173-230.
176. *O.C.*, p. 619.
177. Ibid., p. 618.
178. Ibid., p. 619.
179. Ibid., p. 612.
180. Faure, *Montaigne*, p. 177.
181. Ibid., p. 211.
182. *O.C.*, p. 741.
183. *Montaigne*, p. 222.
184. Ibid., pp. 202-203.
185. *Esprit des Formes*, p. 156.
186. Ibid., p. 157.
187. Ibid., p. 158.
188. Id.
189. *O.C.*, p. 714.
190. Ibid., p. 892.
191. Ibid., p. 681.
192. Chevrier, *Saint-Exupéry*, p. 266 ; cf. Lettre de S.-E. à R.P. à New-York, en 1942 : « ... J'ai été obligé de renoncer à la construction cartésienne de l'univers. Le *mécanisme* est mort... ».
193. Descartes, *Œuvres*, Paris, 1868, p. 3.
194. Ibid., p. 7.
195. *O.C.*, p. 682.
196. Ibid., p. 525.
197. Ibid., p. 800.
198. Ibid., p. 912; cf. pp. 895, 926.
199. Ibid., pp. 736-737.
200. Id.
201. Id.
202. *Esprit des Formes*, p. 180.
203. Ibid., p. 274.
204. *O.C.*, p. 221.
205., Ibid., p. 102.
206. *La Danse*, p. 76.
207. Il ne peut être question, ici, que d'un père spirituel ; le Comte Jean-Marie de Saint-Exupéry, père d'Antoine, est mort quand ce dernier avait quatre ans, en 1904. cf. Pélissier, p. 12.
208. *O.C.*, pp. 433, 434.
209. *Matth.* XXVII:35,40,59,60,63, 64,66.
210. *Matth.* XXI:42.
211. Faure, *Equivalences*, Essai de chronologie, p. 330.
212. cf. Revue *Europe*, n° 179, 15 nov. 1937, p. 432 ; cf. le n° 180, 15 déc. 1937, édition spéciale d'hommage à Elie Faure.
213. Pélissier, *Saint-Exupéry*, p. 14.
214. *O.C.*, p. 467.
215. *Esprit des Formes*, p. 131.
216. *Histoire de l'Art*, vol. I., p. XII.
217. *O.C.*, pp. 474, 475.
218. *La Danse*, p. 100.
219. *Esprit des Formes*, p. 132.
220. *O.C.*, p. 788.

221. *La Danse*, p. 100.
222. *Montaigne*, p. 212.
223. Ibid., p. 176.
224. Ibid., p. 222.
225. *Histoire de l'Art*, Vol. I., p. XIX.
226. *La Danse*, pp. 140-141.
227. Ibid., p. 85.
228. *O.C.*, p. 610.
229. Id.
230. Id.
231. Ibid., pp. 191, 327, 573, respectivement.
232. Op. cit., p. 178.
233. *O.C.*, p. 568.
234. André Gide, *Les Nourritures Terrestres*, Paris, 1942, pp. 24, 30.
235. *O.C.*, p. 468.
236. cf. *Esprit des Formes*, pp. 231, 257, 271, 287, 299.
237. Ibid., pp. 6, 62, 173, 179, 266, 271.
238. cf. André Gide, *Prétextes*, Paris, 1929, pp. 172-173 : « Etait-ce donc là que devait aboutir le protestantisme ? — Je le crois — et voilà pourquoi je l'admire ; — à la plus grande libération. » (Lettres à Angèle).
239. cf. la critique de Gide, dans plusieurs passages des *Carnets*, par ex., aux pp. 30 et 48.
240. André Gide, *Journal*, 37e cahier, 31 mars 1931, pp. 379-381.
241. Saint-Exupéry, *Vol de Nuit*, Gallimard, 1931.
242. Pélissier, *Saint-Exupéry*, p. 48.
243. *O.C.*, p. 49.
244. Ibid., p. 195.
245. André Gide, *André Walter*, p. 153.
246. Ibid., p. 256.
247. Ibid., p. 261.
248. Ibid., p. 291.
249. *O.C.*, p. 17.
250. Ibid., p. 19.
251. Ibid., p. 18.
252. André Gide, *André Walter*, p. 22.
253. Ibid., p. 23.
254. *O.C.*, p. 23.
255. André Gide, *Nourritures Terrestres*, p. 76 (Paris, 1942).
256. *O.C.*, p. 26.
257. Ibid., p. 27.
258. Ibid., pp. 49-50.
259. Marcel Raymond, *De Baudelaire au Surréalisme*, Paris, 1933, p. 76.
260. *O.C.*, pp. 42-43 .
261. Ibid., p. 43.
262. Ibid., p. 44.
263. Ibid., p. 453.
264. Ibid., pp. 405-422.
265. André Gide, *Le Retour de l'Enfant Prodigue*, N.R.F., 3e édit.
266. Op. Cit., p. 68 ; en note : « André Gide a révélé en 1945 qu'il avait inspiré cette construction... »
267. Id.
268. André Gide, *Prétextes*, pp. 168-169.
269. Nietzsche, *Pages Choisies*, Paris, 1899 ; traduction d'Henri Albert, pp. 12-13. cf. le témoignage de Gide, *Prétextes*, p. 171 : « Dès le premier ouvrage (La Naissance de la Tragédie), l'un des plus beaux, Nietzsche s'affirme et se montre tel qu'il sera... » ; cf. les enseignements qu'Elie Faure en a tirés dans un chapitre de *La Danse*, intitulé « La Tragédie, Mère des Arts ».
270. *O.C.*, p. 926.
271. *Zarathoustra*, p. 311.
272. Ibid., p. 312.
273. *O.C.*, p. 103.
274. Ibid., p. 107.
275. Ibid., p. 102.
276. Ibid., p. 115.
277. *Zarathoustra*, p. 491.

278. Ibid., p. 125.
279. *Confluences*, p. 193.
280. Op. cit., p. 482.
281. *O.C.*, p. 108.
282. Ibid., p. 133.
283. Ibid., p. 108.
284. Ibid., p. 122.
285. Ibid., p. 115.
286. Ibid., p. 444.
287. *Zarathoustra*, pp. 498, 499.
288. Ibid., p. 132.
289. *O.C.*, p. 530.
290. Ibid., p. 912.
291. Ibid., p. 19.
292. Ibid., p. 612.
293. Ibid., p. 925.
294. Ibid., p. 25.
295. Ibid., p. 155.
296. Ibid., p. 221.
297. Ibid., p. 256.
298. Ibid., pp. 462-463.
299. Ibid., p. 561.
300. Ibid., p. 820.
301. *Zarathoustra*, p. 91.
302. *O.C.*, p. 899.
303. N.B. Ce problème sort évidemment du cadre des influences « littéraires » ; Saint-Exupéry était en relation avec Denis de Rougemont, des hommes d'église, etc... Nous n'avons visé qu'à souligner les effets inattendus d'un déséquilibre qui n'engage que les forces citées.
304. Ce livre a été mentionné par S.-E. dans *Courrier-Sud*, *O.C.*, p. 19.
305. *O.C.*, p. 55.
306. Id.
307. Ibid., p. 414.
308. Ibid., pp. 413-414.
309. Ibid., pp. 421-422.
310. *I Pierre* I:15-16.
311. *O.C.*, p. 211, *Terre des Hommes*.
312. cf. prologue op. cit. : « Lorsque Zarathoustra eut atteint sa trentième année (...) il s'avança devant le soleil et lui parla ainsi... », p. 7.
313. Op. cit., p. 19 : « L'Ecclésiaste chante. Ces douteurs sont de grands lyriques. ».
314. Op. cit., p. 115 : « Il est un temps de rire — et il est un temps d'avoir ri. Il est un temps de rire, certes — puis de se souvenir d'avoir ri. ».
315. *O.C.*, p. 441 ; cf. p. 573.
316. Op. cit., III:1-8.
317. Ibid., III:11.
318. *O.C.*, p. 431.
319. Ibid., p. 432.
320. Ibid., p. 433.
321. *Ecclésiaste*, I, 12-14.
322. Ibid., II, 13.
323. Ibid., IV, 4.
324. *O.C.*, p. 435.
325. Ibid., p. 446.
326. Ibid., p. 482.
327. *Zarathoustra*, p. 412 : commencement du chapitre «La Cène» : « Car, ... ».
328. *O.C.*, p. 431.
329. Ibid., p. 18.
330. Ibid., p. 444.
331. Ibid., p. 491.
332. Op. cit., V, 2.
333. Ibid., IV, 4.
334. *O.C.*, p. 454.
335. *Ecclésiaste*, II, 4-11.
336. *O.C.*, p. 516.
337. Ibid., p. 484.
338. Ibid., p. 525.
339. Ibid., p. 483.
340. Ibid., p. 849.
341. Ibid., pp. 399-400.
342. Ibid., pp. 515-516.
343. L'auteur de *Citadelle* a cependant fini par tutoyer son Dieu !
344. Leconte de Lisle, *Poèmes Barbares*, Librairie Alph. Lemerre, Paris.

CHAPITRE DEUXIÈME

Dès ses origines, l'esthétique d'Antoine de Saint-Exupéry a débordé du cadre de la littérature qui lui servait de moyen d'expression, pour y associer d'autres modes de création. Cependant, après « l'acte », c'est bien le langage écrit que l'aviateur envisage comme instrument de communication et comme formule d'engagement.

Citadelle est précisément la somme d'un créateur qui se cherche dans d'innombrables domaines de la culture, mais qui, en même temps, consacre une part considérable de son effort global à approfondir son métier de littérateur et à justifier cet art. C'est de cette part — appelons-la l'Art Poétique de *Citadelle* — que nous voudrions nous occuper maintenant, avant d'en considérer les résultats pratiques dans la dernière partie de cette étude.

L'Art Poétique de *Citadelle* n'apparaît pas sous la forme d'un précis de littérature. Il est inachevé ; on le discerne, difficilement parfois, dans le désordre fort explicable d'un manuscrit dont les éditeurs n'ont pas voulu modifier la structure.

Nous n'ignorons pas les dangers que l'on court à vouloir aborder un tel livre ; mais nous pensons qu'il est possible d'y suivre le développement des pensées de l'auteur, sans avoir à se substituer à sa conscience, dans le seul but de ranger des passages épars autour de quatre centres d'intérêt. Ces quatre thèmes de réflexions, l'auteur lui-même leur a donné un nom ; celles des méditations de *Citadelle* qui ont la littérature pour objet, s'organisent autour des thèmes suivants : le poète, le langage, l'image et le poème. (L'ordre de cette énumération est évidemment à notre choix.)

Le poète. *

Les textes dans lesquels Saint-Exupéry s'efforce de définir la fonction et les attributs du poète sont assez peu nombreux. Par contre, les passages abondent où l'auteur de *Citadelle* envisage le problème sous un angle plus général : il définit le créateur, et les préceptes qu'il énonce s'appliquent aussi bien à l'architecte qu'au sculpteur ou à l'écrivain. Nous devrons rappeler brièvement ces enseignements.

De plus, en marge de ces éléments positifs, nous relèverons des textes dans lesquels Saint-Exupéry s'est prononcé contre ceux qu'il appelait, sans les nommer, les « mauvais » ou les « faux poètes ». C'est là, surtout, qu'il nous sera possible de lire la pensée de l'auteur sur quelques courants poétiques du dix-neuvième et du vingtième siècles.

Dans l'absolu, la fonction du créateur consiste à obéir aux injonctions d'un élan lyrique qui pousse l'homme à créer, avec l'espoir que son œuvre épousera les mouvements de la vie. Saint-Exupéry illustrait déjà ce principe dans *Pilote de Guerre* ; il l'avait traduit en personnage de roman dans le caractère de Rivière, le héros de *Vol de Nuit*.

Le dernier récit d'aviation énonce : « Le sculpteur lourd du poids de son œuvre : peu importe s'il ignore comment il

* Dorénavant, nous aurons recours au terme de « poète » pour désigner l'artiste qui s'exprime à l'aide du langage écrit. Saint-Exupéry n'a pas distingué le vers de la prose.

pétrira. De coup de pouce en coup de pouce, d'erreur en erreur, de contradiction en contradiction, il marchera droit, à travers la glaise, vers sa création. Ni l'intelligence, ni le jugement ne sont créateurs. Si le sculpteur n'est que science et intelligence, ses mains manqueront de génie. » (1)

Quant au héros de *Vol de Nuit*, il importe d'en rappeler succinctement les traits les plus caractéristiques. Son langage, c'est l'action. Il est « dur ». Le but, à ses yeux, domine tout. Il aime, mais d'un amour qui se dissimule et ignore la pitié. De plus, Rivière pèse instinctivement dans les directions qu'il pressent, sans les analyser ; « il pesait dans la bonne direction. » (2) Ce héros figure le jaillissement, incontrôlable parfois, des élans du créateur : « Il y a quelque chose... quelque chose qui prime tout cela. Ce qui est vivant bouscule tout pour vivre et crée, pour vivre, ses propres lois. C'est irrésistible. » (3) D'autre part, Rivière fait déjà intervenir une notion que Saint-Exupéry développe dans *Citadelle*. Le chef du réseau aérien croit à la valeur des règles. « ... semblable aux rites d'une religion qui semblent absurdes mais façonnent les hommes » (4), le règlement était pour lui « connaissance des hommes ». (5) Nous expliquerons plus loin comment Saint-Exupéry a réconcilié ces deux démarches essentiellement contradictoires, dont l'une consiste, pour le créateur, à obéir à un pur élan, et l'autre, à accepter des contraintes.

Il est un autre trait de Rivière dont il faut se souvenir : le chef de *Vol de Nuit* a coutume d'affirmer, pour lutter contre les partisans des critères esthétiques traditionnels : « Regardez-moi ça, comme c'est beau, cette laideur qui repousse l'amour. » (6) L'auteur achève d'ailleurs son récit en proclamant que les « mots n'ont point de sens » (7), que seule la vie en a un et qu'elle crée, sans cesse, des mots nouveaux : « La vie est au-dessous de ces images, et déjà prépare de nouvelles images. » (8)

Le protagoniste de *Vol de Nuit* posait déjà, dans ses rudiments, le problème du créateur qui médite sur son œuvre et sur les moyens dont il dispose pour la mener à chef. Rivière, le solitaire, suggérait par les actes qu'il posait, une solution que le chef de *Citadelle* a développée en l'appliquant au poète.

Le poète est un conducteur d'hommes ; il précède les masses dans leur évolution paresseuse et dans leur ascension difficile vers le divin. Il est responsable de la communauté qui l'environne ; il en est en même temps le serviteur : « Moi qui monte sur ma terrasse et reçois leurs plaintes nocturnes et leurs balbutiements et leurs cris de souffrance et le tumulte de leurs joies pour en faire un cantique à Dieu, je me conduis comme leur serviteur. C'est moi le messager qui les rassemble et les emporte. C'est moi l'esclave chargé de leurs litières. C'est moi leur traducteur. »(9)

Saint-Exupéry avertit aussitôt l'interprète du peuple : il ne peut attendre de son œuvre aucun avantage matériel. C'est comme au Vigny de *Chatterton* qu'il adresse cette réplique : « Et tu rêves d'un empire où les casseurs de pierre le long des routes, les débardeurs du port et les soutiers se puissent enivrer de poésie, de géométrie et de sculpture, et s'imposer d'eux-mêmes, librement, un surcroît de travail pour te nourrir tes poètes, tes géomètres et tes sculpteurs. Ce que faisant, tu confonds la route et le but... » (10)

S'il est puissant par les responsabilités sociales qu'il assume, le poète est pourtant solitaire. Le symbole de cet isolement est « la montagne » (11) que l'homme gravit pour y méditer et dont il redescend pour conduire son peuple, tout comme Jésus, Zarathoustra, le Moïse biblique et celui de Vigny. Cette solitude du poète lui est nécessaire : elle est « vaste » (12) ; elle est le signe du silence et de la lenteur sans lesquels rien ne se crée. « Tu la connais, ta vocation, à ce qu'elle pèse en toi (...) Mais sache que ta vérité se fera lentement car elle est naissance d'arbre et non trouvaille d'une formule... » (13)

Le poète est mû par son intuition ; il ne fait pas œuvre de « logicien » (14). *Vol de Nuit* annonçait ce trait de tout créateur ; *Citadelle* insiste davantage sur les facultés affectives du poète dont l'amour devient la vertu cardinale. Sans renoncer à la notion du nouvel amour que ressentait Rivière, l'auteur de *Citadelle* a appuyé sur le don de soi et sur « le pouvoir d'éveiller l'amour » (15) que détient le poète.

En même temps qu'il s'efforce de préciser la nature du poète, l'écrivain met en garde contre ceux qu'il appelle les « faux » et les « mauvais poètes ». Il procède par éliminations successives et nous dit ce que le poète ne doit pas être.

Ce qu'il ne peut être, tout d'abord, c'est tricheur ou menteur. Ceux des poètes qui trichent avec les règles sont « ceux qui consomment plus qu'ils ne rendent. » (16) Saint-Exupéry leur oppose les poètes qui font de leur art un instrument de transformation et non de consommation : « Et quand je me suis habitué aux erreurs de syntaxe je ne puis même plus provoquer le scandale et saisir par l'inattendu. Mais je ne puis, non plus, m'exprimer dans la beauté du style ancien car j'ai rendu vaines les conventions (...) tout ce code lentement élaboré et qui me permettait de transmettre de moi jusqu'au plus subtil. Je me suis exprimé en consommant mon instrument. Et l'instrument des autres. » (17) C'est la même idée que l'auteur traduit à l'aide de ces deux images : « Ainsi de celui qui écrit ses poèmes et tire des effets efficaces de ce qu'il triche avec des règles acceptées. Car l'effet de scandale est aussi une opération. » (18) ; il « brise le vase d'un trésor commun. Pour s'exprimer il ruine des possibilités d'expression de tous, comme celui-là qui, pour s'éclairer, incendierait la forêt. * Et ensuite il n'est plus que cendre à la disposition des autres. » (19)

Quant aux poètes menteurs, Saint-Exupéry les compare aux chefs d'Etat et leur reproche de tirer « du mensonge des effets puissants ». (20)

En quoi consistent donc cette fidélité aux règles et ce respect des principes ? A quelles règles et à quels principes l'auteur de *Citadelle* fait-il allusion ? Ces lois sont moins le

* cf. Baudelaire, *Œuvres Complètes*, p. 282 : « Un de mes amis (...) a mis une fois le feu à une forêt pour voir, disait-il, si le feu prenait... »

patrimoine d'une certaine école littéraire que l'héritage traditionnel des éléments fondamentaux de la langue et de la poésie : le style et la syntaxe.

Le faux poète est celui qui « brise le style en profondeur pour en tirer des effets qui le servent » (21) ; celui qui cherche à « provoquer le scandale » en violant « la syntaxe » (22) au profit de l'inattendu et de l'inhabituel. Bien écrire, c'est manier la langue « avec rigueur », c'est forger « son instrument », c'est aiguiser « son arme pour l'usage ». (23). Ainsi seulement, l'écrivain « augmente ses provisions à mesure qu'il les consomme », « augmente sa caution à mesure qu'il s'en sert » et « bâtit l'instrument dont il se servira demain. » (24)

Saint-Exupéry juge ensuite la création poétique sous l'angle de la sorcellerie du langage. Il combat une conception erronée du poète-sorcier qui se livre à des « jeux compliqués » et s'imagine que le pouvoir des mots réside dans les mots eux-mêmes ou dans les effets du hasard : « Ainsi du sorcier de la tribu nègre (...) Il prononce des mots et des mots et des mots. Il attend que, de sa cuisine, un pouvoir invisible émane (...) Mais rien ne se montre. Et il recommence. Et il change les mots (...) Et si le poème me peut émouvoir, par contre nul assemblage de caractères issus du désordre de jeu d'enfants ne m'a jamais tiré de larmes... » (25) *

Saint-Exupéry ne condamne pas le poète qui croit à la sorcellerie du langage ; au contraire, il affirme qu' « il n'est que magie » (26). Mais il désavoue la « fausse magie (...) trituration dans ta soupière d'ingrédients de hasard, dans l'attente d'un miracle que tu n'aurais point préparé. » (27)

L'auteur de *Citadelle* n'a pas voulu nommer les faussaires

* cf. Mallarmé, *Poésies*, N.R.F., Paris, 1945, p. 129 : deuxième quatrain du *Tombeau d'Edgar Poe :*

« Eux comme un vil sursaut d'hydre oyant jadis l'ange
Donner un sens plus pur aux mots de la tribu
Proclamèrent très haut le sortilège bu
Dans le flot sans honneur de quelque noir mélange ».

cf. Baudelaire, *Œuvres Complètes*, « L'Art Romantique », p. 950.

qu'il dénonçait de la sorte. Ces derniers, cependant, ne peuvent être les maîtres de la magie évocatoire : Baudelaire, qu'il citait ; Mallarmé, qu'il admirait [28] ; Rimbaud, qui l'accompagnait dans ses déplacements [29]. En réutilisant l'image du sorcier des poètes qu'il aimait, Saint-Exupéry a sans doute voulu condamner ceux dont il estimait qu'ils compromettaient le patrimoine commun, en instaurant le jeu du hasard dans un art que les maîtres précités avaient toujours envisagé dans la perspective de l'effort et de la préméditation.

Saint-Exupéry vise-t-il, en particulier, l'un ou l'autre des représentants de la poésie nouvelle ? [30] Désapprouve-t-il ce qui constitue, dans une large mesure, la production poétique du premier demi-siècle ? Condamne-t-il, tout à la fois, *L'Esprit Nouveau* [31], le *Préambule* [32], aussi bien que le *Manifeste du Surréalisme* ? [33] Il est probable que le jugement de notre auteur porte sur toute une génération qui cherche (dans les termes du Prince de *Citadelle*) à « surprendre par le léger pouvoir de choc de l'inhabituel » et fait « appel à quoi que ce soit d'incohérent et d'inattendu » [34]. Ce qu'il reproche à ce groupe de poètes, c'est bien de tirer leur « bruit de la destruction » [35], de mettre en danger l'héritage de la langue et de consommer plus qu'ils ne transforment ; « car (...) à la seconde audience (...) tu ne t'étonneras plus de rien. Et bientôt, tu t'accroupiras, morne et sans langage, dans l'indifférence d'un monde usé. » [36]

L'Art Poétique de *Citadelle* censure une autre catégorie de poètes : les cracheurs d'encre. Ces faux artistes célèbrent notamment les visions exotiques qui peuplent leurs rêveries ; ils refusent de s'engager dans l'immédiat : « Mais celui-là, d'emblée (...) pataugeant dans la pourriture du rêve [37], me chantera des oiseaux de couleur et des crépuscules sur le corail, lesquels d'abord m'écœureront, car je préfère le pain craquant à ces confitures... » [38] Il cite encore « tel cracheur d'encre qui, au cours du siège de sa ville, refusa de se montrer sur les remparts, par mépris, disait-il, du courage physique. » [39]

Dans une autre catégorie de mauvais poètes, Saint-Exupéry

range ceux qui fondent leur art sur les vains regrets : « As-tu jamais regretté ta première enfance, tes quinze ans ou ton âge mûr ? Ces regrets-là sont regrets de mauvais poète. » (40) Il dénonce tout aussi bien les effusions sentimentales des « poètes de clair de lune » (41), que les « sculpteurs à ressemblance » (42). Les faussaires de cette espèce pèchent par le goût. Ils sont nombreux : « J'exige donc dix mille entrepôts de mauvais goût contre un seul qui sache discerner. » (43) D'autres encore « se croient provision de merveilles (...) Et ils te montrent au hasard leurs éructations en poèmes. Mais tu les entends éructer sans bien t'émouvoir. » (44) Ces divers représentants d'un art facile et de mauvais goût, Saint-Exupéry les appelle parfois « les fabricants de mirlitonneries qui te mélangent sous prétexte de poésie, l'amour, le clair de lune, l'automne, les soupirs et la bise. » (45)

Il faut citer, en dernier lieu, un jugement de l'auteur sur ceux qui voudraient faire accroire qu'ils vivent dans un monde d'inspiration permanente : « Car ceux-là se pâment et te voudraient faire croire qu'ils brûlent nuit et jour. Mais ils mentent (...) Ment le poète qui nuit et jour te parle de l'ivresse du poème. Lui arrive de souffrir de quelque mal de ventre et se moque de tous les poèmes. » (46)

De condamnation en condamnation, Saint-Exupéry circonscrit peu à peu le domaine que régissent ses propres aspirations positives. Ce qu'il cherche, c'est une nouvelle allure poétique qui permette de fondre ensemble les exigences d'un authentique élan lyrique et un réel souci du patrimoine classique de la langue. A cet égard, il s'est livré à des expériences et il en a tiré des conclusions ; et il s'est donné une théorie de la prose poétique que nous analyserons à la fin de ce chapitre quand nous traiterons du *poème.*

Auparavant, il importe de considérer les deux instruments dont le poète dispose pour amener à la conscience et pour traduire les forces intimes de son être ; nous devons dissocier, pour les besoins de l'analyse, l'*image* conçue comme une manifestation irrationnelle de la poussée lyrique, et le *langage* envisagé comme moyen d'expression de cette poussée. La première permet à l'écrivain de saisir ses rythmes psychiques les plus profonds. Le second le met en état de les traduire et de les contrôler, parfois même de les refuser.

L'image.

Dès 1931, Saint-Exupéry s'était formulé une théorie de l'image poétique. Voici comment il l'exprimait, à cette époque, dans une lettre qu'il adressait à Benjamin Crémieux. Au cours d'un vol, tandis qu'il cherchait un phare qu'il confondait avec des étoiles, le pilote s'était pris à penser :

> « Je n'arriverai donc pas à retrouver celle dans laquelle j'habite ! J'étais vraiment perdu dans une sorte d'espace interplanétaire. Et si je parlais dans quelque livre de *la seule étoile habitable*, serait-elle littérature cette réflexion faite plus par ma chair que par moi-même ? Ne serait-elle pas plus vraie, plus honnête, plus complète, que n'importe quelle explication ? (...) Et je pense que même le plus rustre, quand l'action l'empêche de choisir ses mots et qu'il laisse sa chair penser, ne pense pas dans un vocabulaire technique, mais en dehors des mots, en symboles. Il les oublie ensuite comme au sortir du rêve et leur substitue le langage technique, mais le symbole contenait tout. Et ce n'était pas littérature.
>
> » Il me semble qu'une image arbitraire est, par exemple, celle-ci (...) Et cette image me semble littéraire précisément parce que le symbolisme ne réside que dans les mots, qu'il ne jaillit pas de l'impression intime et que le rêve ne l'accepterait pas...
>
> » Croyez-vous que je formais des mots ? Pour quoi faire ? Mais j'ai surpris cette même conscience qui vit dans le sommeil et que l'on surprend parfois au réveil (...) Je fais des agrès dans les étoiles (...) Et voilà l'exemple d'une image bien précieuse, bien littéraire et inutilisable même à cause de cette apparence et qui, pourtant, n'était ni précieuse ni littéraire — le paysan en rêve d'aussi précieuses toutes les nuits — et qui exprimait tout et si bien, que c'est elle que mon corps a choisie. » (47)

On ne peut s'empêcher de rapprocher cette théorie de quelques passages du *Manifeste du Surréalisme,* dans lesquels André Breton, citant l'auteur des *Paradis Artificiels,* énonce : « Il en va des images surréalistes comme de ces images de l'opium que l'homme n'évoque plus, mais qui *s'offrent à lui, spontanément, despotiquement. Il ne peut pas les congédier ;*

car la volonté n'a plus de force et ne gouverne plus les facultés. » (48) ; « Il est faux, selon moi, de prétendre que *l'esprit a saisi les rapports* des deux réalités en présence. Il n'a, pour commencer, rien saisi consciemment. » (49) ; « L'esprit se convainc peu à peu à la réalité suprême de ces images. » (50)

Aux termes de sa lettre à Benjamin Crémieux, Saint-Exupéry rejoint la pensée d'André Breton (51) en ce qui concerne l'origine de l'image. Cependant, il emploie, pour décrire cette origine, un mot dont il est possible de deviner le sens sans qu'il soit permis de certifier que l'auteur l'applique à une forme de rêve : « il laisse sa chair penser ». (Cette certitude nous sera donnée par les récits de l'aviateur.)

D'autre part, Saint-Exupéry fait bien allusion au sommeil et au rêve, mais il envisage ces états comme critères de l'image dont il situe l'origine dans la « chair », quand l'action l'empêche de choisir ses mots.

Saint-Exupéry fait-il allusion à une force particulière du rêve, valable à ses yeux : le rêve (l'ivresse) de l'action ? Ainsi que nous le montrerons incessamment, c'est bien là l'interprétation qu'il faut accorder au mot « chair ». L'aviateur a condamné certaines formes du rêve ; il a admis celui qui se saisit du pilote en action, lorsqu'il n'a plus que des pensées rudimentaires. Et cela ne l'a nullement empêché de dénoncer ce que le Prince de *Citadelle* a souvent nommé « la pourriture du rêve ».

Cependant, si Saint-Exupéry a fait allusion, dans la lettre citée, à l'origine irrationnelle de ses images, il a aussi utilisé un vocable qui exclut toute idée de gratuité et tend à attribuer une signification à ces images : le symbole. L'image peut être gratuite et ne traduire que l'impulsion psychique qui l'a mise à jour. Le symbole, lui, signifie ; il désigne une certaine relation, une correspondance entre deux réalités d'essence différente. Saint-Exupéry s'est-il donc contredit ?

Loin de se contredire, l'écrivain a réussi à se donner très tôt dans sa carrière littéraire une théorie solide et cohérente de l'image. Comme les surréalistes, il accueille les images du rêve et du souvenir ; à l'instar des symbolistes, il leur donne immédiatement un sens, une destination, une signification ; de ces symboles, il fait les clés magiques de sa civilisation idéale, *Citadelle.* Telle est, en raccourci, la démarche presque automatique des images de Saint-Exupéry.

Que disent les textes, à cet égard ?

Courrier-Sud nous éclaire déjà sur l'origine des images. L'auteur y pose véritablement le problème de la source des images quand il dépeint ses personnages. Il commente, par exemple, les images que Bernis, l'aviateur, est en train de subir tandis qu'il effectue un vol difficile : « Il savait bien qu'il avait cédé encore à des images. Mais les images, de quelle profondeur viennent-elles ? (...) Toujours cette image de pente (...) Toujours cette image de nécessité. » (52)

Plus loin, c'est le prédicateur de Notre-Dame, qui, au moment d'exprimer une idée, « sentait monter en lui, confusément, l'image où il la poserait, la formule qui l'emporterait dans ce peuple. » (53)

Plus loin encore, c'est Geneviève que la perte de son enfant a transformée en un être rudimentaire. Quand l'auteur la décrit, elle vient de rejoindre son amant et est à ses côtés : « Elle le halait du fond de sa pensée. Elle ne cherchait pas son épaule mais fouillait dans ses souvenirs. Elle s'accrochait à sa manche comme un naufragé qui se hisse, non pour se saisir d'une présence, d'un appui, mais d'une image... » (54)

Dans *Terre des Hommes*, le romancier met souvent en relief l'abondance et la puissance des flots d'images qu'il reçoit ou qu'il attribue à ses compagnons de vol :

> « Tout ce torrent d'images m'emporte, je le sens, vers un songe tranquille : les fleuves se calment dans l'épaisseur de la mer. (55)
>
> » Il m'est venu quelques images pour m'expliquer cette vérité que tu n'as pas su traduire en mots mais dont l'évidence t'a gouverné. (56)
>
> » Alors une procession d'images que tu ne pouvais retenir, une procession qui s'impatientait dans les coulisses, aussitôt se mettait en branle sous ton crâne. Et elle défilait... » (57)

Parfois, c'est une hallucination que l'auteur rapporte : « J'ai eu une dernière hallucination : celle de trois chiens qui se poursuivaient. » (58) De telles visions irrépressibles ne sont pas rares dans les récits d'accidents au Sahara.

Cependant, si « la chair qui pense » est, sous la plume de Saint-Exupéry, une manière d'illustrer l'automatisme psychique des images, ce phénomène s'applique exclusivement à leur origine. Irrationnelles au départ, ces dernières sont aussitôt soumises à un contrôle de l'esprit critique. L'auteur ne choisit pas les images qui l'emportent, mais il reste libre d'élire celles qu'il traduira en mots. L'automatisme cesse, en quelque sorte, avec la transcription poétique. L'écriture est le procédé volontaire que l'auteur utilise pour retenir ou pour exclure certaines images, ou bien encore pour statuer sur la qualité et la validité des signes qui surgissent de l'inconscient. Le voici qui examine ses propres images :

« Mais une idée vague me vient : *C'est un été qui se détraque. Un été en panne...* (...) Tout à coup une absurde image me vient. Celle des horloges en panne. De toutes les horloges en panne (...) La guerre... On ne remonte plus les pendules. (59)

» Il me vient une image que j'estime d'abord, ravissante : ... *inaccessibles comme une trop jolie femme, nous poursuivons notre destinée, traînant lentement notre robe à traîne d'étoiles de glace (...) Mais je reviens à ma poésie de pacotille : ... (...) J'ai pu inventer sans dégoût cette image de robe à traîne...* » (60)

Selon André Breton : « l'esprit », s'il lui arrive de porter un jugement sur les images qu'il reçoit, « se convainc peu à peu à la réalité suprême de ces images. Se bornant d'abord à les subir, il s'aperçoit bientôt qu'elles flattent sa raison (...) Il va, porté par ces images qui le ravissent... » (61) Il n'en va pas de même pour Saint-Exupéry : son esprit accepte ou refuse l'image que l'inconscient lui envoie.

Breton et Saint-Exupéry émettent aussi des avis opposés en ce qui concerne la qualité de l'image poétique. Breton affirme : « Pour moi, la plus forte est celle qui présente le degré d'arbitraire le plus élevé (...) celle qu'on met le plus longtemps à traduire en langage pratique... » (62) Saint-Exupéry désavoue l'arbitraire : « De chercher ainsi à te surprendre, par le léger pouvoir de choc de l'inhabituel (...) si (...) je fais appel à quoi que ce soit d'incohérent et d'inattendu, de m'agiter ainsi je ne suis que pillard et je tire mon bruit de la destruction car, certes, à la seconde audience (...) tu ne t'étonneras plus de rien. » (63)

L'auteur de *Citadelle* propose d'ailleurs d'autres critères de beauté et de validité.

L'image belle et forte est un « piège » dont le poète dispose, à la fois pour saisir les mouvements les plus intimes de son être, et pour communiquer ces attitudes au lecteur en l'envoûtant. De plus, toute image belle et forte « devient », c'est-à-dire qu'elle se charge d'un contenu symbolique qui en fait une valeur d'échange dans la communauté des hommes et une voie d'accès à la civilisation idéale de l'auteur. Voici comment Saint-Exupéry définit sa notion de piège :

> « Et si je veux transporter en toi tel carnage nocturne par lequel, fondant sur lui dans le silence, sur un sable élastique, j'ai noyé l'ennemi dans son propre sommeil, je nouerai tel mot à tel autre disant par exemple *sabre de neige* afin de prendre au piège une douceur informulable, et il ne s'agira ni de la neige, ni des sabres. Ainsi de l'homme me choisis-tu un acte qui ait valeur de l'image dans le poème. » (64)

C'est la même idée que Saint-Exupéry exprimait en 1939, dans sa préface au *Vent se lève :*

> « Considérez l'image poétique. Sa valeur se situe sur un autre plan que celui des mots employés. Elle ne réside dans aucun des deux éléments que l'on associe ou compare, mais dans le type de liaison qu'elle spécifie, dans l'attitude interne particulière qu'une telle structure nous impose. L'image est un acte qui, à son insu, noue le lecteur. On ne touche pas le lecteur : on l'envoûte. » (65)

Ce piège, ce tour de magie, *Citadelle* nous fait savoir qu'il doit être rudimentaire : il doit faire usage de mots universels et familiers, qui « expriment d'emblée un système de dépendances dont je me servirai ailleurs. » (66) L'exemple suivant sert à l'auteur à illustrer sa pensée : plutôt que de recourir au mot « soif », dont la signification lui paraît trop restreinte et trop banale dans un certain contexte, il associe les vocables « jalousie » et « eau » dans une image : « la jalousie de l'eau ». (67) Aux termes de sa définition, le mot « jalousie » et le concept universel qu'il recouvre pourront lui resservir ailleurs, dans d'autres associations de mots. Le souci de l'universel coïncide ici avec une certaine économie des mots ; c'est sur ces deux principes que Saint-Exupéry fonde sa conception de la sorcellerie de l'image.

Saint-Exupéry montre aussi, dans *Citadelle,* que le pouvoir de suggestion de l'image n'est pas incompatible avec une certaine précision du langage :

> « Si tu me veux parler d'un soleil menacé de mort, dis-moi : soleil d'octobre. Car celui-là faiblit déjà et te charrie cette vieillesse. Mais le soleil de novembre ou décembre appelle l'attention sur la mort et je te vois qui me fais signe. Et tu ne m'intéresses pas. Car ce qu'alors je recevrai de toi ce n'est point le goût de la mort, mais le goût de la désignation de la mort. Et ce n'était point l'objet poursuivi. » (68)

L'auteur de *Citadelle* a encore insisté sur la discrétion de l'image. Si elle est malhabile ou trop forte, l'image porte en soi un germe de destruction : « ... ni le mot, et il ne faut pas me le choisir trop vigoureux sinon il mange l'image. Ni même l'image sinon elle mange le style. » (69)

Mais Saint-Exupéry ne s'en est pas tenu aux considérations sur la beauté de l'image ; il a vu dans « l'image créatrice » (70) un instrument didactique particulièrement efficace. Il en a fait un symbole du devenir.

L'image, en effet, n'étant jamais gratuite, est une valeur de civilisation et un outil de persuasion :

> « Car je ne connais point le poème ni d'image dans le poème qui soit autre chose qu'une action sur toi. Il s'agit non de t'expliquer ceci ou cela, ni même de te le suggérer comme le croient de plus subtils — car il ne s'agit point de ceci ou de cela — mais de te faire devenir tel ou tel... (71)
>
> » C'est pourquoi je dis d'une image, si elle est image véritable, elle est une civilisation où je t'enferme. Et tu ne sais point me circonscrire ce qu'elle régit. » (72)

Ici, Saint-Exupéry rejoint évidemment les théories symbolistes. Le principe qu'il énonçait déjà dans sa lettre à Benjamin Crémieux (« ... le symbole contenait tout ») est devenu, dans le testament esthétique, un dogme fort caractéristique : « La grande image ne se remarque point comme une image.

Elle est. Ou plus exactement, tu t'y trouves. Et comment saurais-tu lutter contre ? » (73) ; « Je te le dis : toute image forte devient. » (74) En définitive, c'est à une conception mystique de l'image que l'auteur a abouti. Le Prince de *Citadelle* a fini par ne plus créer que des symboles qui fussent comme les évidences poétiques des valeurs nouvelles qu'il propose à son peuple : « Seigneur, disais-je, donne-moi cette image contre laquelle ils s'échangeront dans leurs cœurs. Et tous, à travers chacun, croîtront en puissance... » (75)

Le chemin théorique parcouru par l'image, dans la pensée de Saint-Exupéry, apparaît donc comme le suivant : à son origine, l'image est un don de l'inconscient et elle vient au poète « hors des voies de la logique » (76) ; dès le moment où elle passe dans l'écriture, elle est soumise à un contrôle rationnel de l'auteur qui fait intervenir des critères de goût et d'efficacité ; à son aboutissement, elle revêt une signification conventionnelle qui la transforme en symbole réutilisable en d'autres occasions. *

Cette démarche automatique, les œuvres de Saint-Exupéry la vérifient. La production littéraire de l'aviateur, si on l'envisage dans sa totalité, s'organise autour de quelques grandes images ramenées de l'enfance et converties en symboles didactiques dans le livre posthume. L'origine de ces images, c'est, en général, dans les récits d'aviation qu'elle est révélée. Quant aux symboles qui en ont dérivé, c'est dans *Citadelle* et dans le *Petit Prince* que l'auteur les a consacrés en les élevant au rang de « divinités ».

Il n'est sans doute pas inutile de parcourir cette production littéraire afin d'y suivre le développement de la plus forte de toutes les images de Saint-Exupéry, celle de *la maison.* C'est autour d'elle que la plupart des autres s'ordonnent ; c'est de cette image centrale que les autres découlent.

* cf. *O.C.*, p. 633 : « Mais s'il se trouve que l'image t'illumine, alors elle est crête de montagne d'où le paysage s'ordonne. Et cadeau de Dieu. Donne-lui un nom pour t'en souvenir. »

La maison.

Dans *Un Mangeur d'Opium*, tandis qu'il considérait la source des rêves de Quincey, Baudelaire concluait : « C'est dans les notes relatives à l'enfance que nous trouvons le germe des étranges rêveries de l'homme adulte, et, disons mieux, de son génie. » (77)

Les « notes » dont parlait Baudelaire, ce sont les œuvres elles-mêmes qui nous les fourniront ; elles contiennent un grand nombre de renseignements autobiographiques. Quelques notes supplémentaires nous seront prêtées par les biographes de Saint-Exupéry. Le témoignage le plus discret peut-être, mais sans aucun doute le plus décisif, parmi les sources secondaires, nous paraît venir d'un article de Simone de Saint-Exupéry, qui, sous le titre de *Jeux d'Enfant* évoque les souvenirs de la maison et du parc familiaux. La sœur de l'aviateur conclut son récit en ces termes : « Jeux, promenades, disputes et dévouements, explorations et découvertes, bonheurs et désespoirs, tout ce qu'une vie d'enfant charrie à pleins bords, est déversé dans une mer profonde où lentement croissent, nourries de philtres mystérieux, les perles inestimables. » (78)

L'auteur lui-même est formel quant à la source principale de son imagerie, l'enfance vécue dans la propriété paternelle ; chaque livre y fait allusion :

« En lisant ce mot de Bernis, Geneviève, j'ai fermé les yeux et vous ai revue petite fille. Quinze ans quand nous en avions treize. Comment auriez-vous vieilli dans nos souvenirs ? (79)

» Rivière se souvient d'une vision qui avait frappé son enfance... (80)

» ... comme aux temps les plus profonds de mon enfance. (81)

» Lorsque j'étais petit garçon... je remonte loin dans mon enfance. L'enfance, ce grand territoire d'où chacun est sorti ! D'où suis-je ? Je suis de mon enfance. Je suis de mon enfance comme d'un pays... (82)

» C'est maintenant qu'elle se fait douce, l'enfance... Je la vois dans sa perspective, comme une campagne... (83)

» L'essentiel est que demeure quelque part ce dont on a vécu. Et les coutumes. Et la fête de famille. Et la maison des souvenirs. L'essentiel est de vivre pour le retour... (84)

» ... je veux bien dédier ce livre à l'enfant qu'a été autrefois cette grande personne. Toutes les grandes personnes ont d'abord été des enfants. (Mais peu d'entre elles s'en souviennent.) » (85)

Et quand le retour réel est impossible, c'est alors que l'image de la maison s'impose, despotiquement, telle qu'elle a été conservée dans les plus lointains souvenirs.

Comment ces souvenirs remontent-ils à la surface ?

Très souvent, le souvenir est involontaire, ou présenté comme tel. Une perception visuelle, auditive, olfactive le met en branle et fait jaillir une image :

« Je vois cette flamme (...) Toute la guerre se résume à cette lueur (...) Je cours vers mon château de feu, dans le bleu du soir, comme autrefois... Tu es partie trop tôt pour connaître nos jeux, tu as manqué le *chevalier Aklin*... (86)

» D'où vient qu'une parole, un geste, puissent faire des ronds à n'en plus finir, dans une destinée ? (...) D'où vient que ce point noir qui est une maison d'hommes, là en bas...

» Et il me revient un souvenir. (87)

» Mais d'une simple odeur de vieille armoire, quand elle réveille en nous les souvenirs. » (88)

Parfois, le souvenir est nettement volontaire. L'auteur rappelle les images de son enfance quand il est en danger et qu'il éprouve une sensation d'insécurité :

« Je m'enferme avec joie dans cette enfance bien protégée. (89)

» Je remontais dans ma mémoire jusqu'à l'enfance, pour retrouver le sentiment d'une protection souveraine. Il n'est point de protection pour les hommes. » (90)

Quelle que soit la forme du souvenir, c'est presque toujours à la maison paternelle qu'il ramène, et tout autant, à ce qui entourait la demeure ainsi qu'à ce qu'elle contenait.

L'image de la maison s'installe dans l'œuvre de Saint-Exupéry dès le premier chapitre de *Courrier-Sud*, ce récit composé dans la solitude d'un poste de relais africain. Ici, l'auteur décrit un ciel d'Afrique qui le porte à croire, pour un moment, que la paix des tribus règne sur le désert. Il se sent chez lui dans le Sahara : « la nuit, cette demeure... » (91) Là, Bernis, l'enfant prodigue, est aux commandes d'un avion ; il évoque la même image : « Une maison, pense Bernis. Il se souvient d'avoir ressenti avec une évidence soudaine que ce paysage, ce ciel, cette terre étaient bâtis à la manière d'une demeure. Demeure familière, bien en ordre. Chaque chose si verticale.

Nulle menace, nulle fissure dans cette vision unie : il était comme à l'intérieur du paysage. » (92) Cette demeure cosmique procure la paix. En tout cas, elle s'impose à l'auteur en correspondance avec un sentiment de paix et de sécurité. C'est la demeure cosmique des conquérants qui ont renoncé à fonder un foyer. C'est celle de Bernis qui refuse Geneviève, pour chercher le trésor. Si familière que puisse être cette demeure, elle n'est pas la maison familiale, celle du souvenir, qui, elle aussi, figure dans le premier roman. Cette maison du souvenir, Bernis va la revoir, avant de fuir. Dans le tableau que l'auteur en donne, nous discernons des images qui réapparaîtront dans les ouvrages postérieurs et dont la signification symbolique finira par triompher dans *Citadelle.*

> « Il était interdit aux enfants de pousser cette petite porte verte (...) Sans doute craignait-on pour nous cette citerne à ciel ouvert, l'horreur d'un enfant noyé dans la mare (...) Et ce trésor que nous disions caché, ce trésor des vieilles demeures, exactement décrit dans les contes de fées (...) Mais nous seuls savions cette maison lancée comme un navire... » (93) *

Geneviève, elle aussi, évoque sa maison : « Ce hall où elle jouait enfant, ces parquets de noyer brillant, ces tables massives (...) ce perron de pierres larges (...) Quand elle entre dans le cellier... » (94). C'est que, pour Geneviève comme pour les aviateurs, la maison lointaine symbolise ce qui dure : « Elle ressentait une étrange mélancolie (...) Mais cette assurance de durée : elle ne l'aurait plus... » (95)

Dans *Vol de Nuit,* l'auteur abandonne provisoirement l'évocation des souvenirs qui se rattachent à la maison. En effet, il y défend une thèse ; et les images attendrissantes y seraient mal venues. La maison est le symbole d'un réel bonheur familial ; mais ce bonheur est incompatible avec l'action et la création héroïques. Cependant, l'auteur tient compte de ce bonheur fragile. Une femme d'aviateur, Simone Fabien, figure

* Nous reviendrons sur les images de l'enfant noyé, du navire et du trésor.

cette vérité qu'on ne peut conserver qu'en renonçant à l'action. Le deuxième récit de Saint-Exupéry est, par excellence, celui de la grande action aventureuse à laquelle tout doit concourir. Par son sujet, il se prêtait mal à des réminiscences. Les personnages évoquent peu de souvenirs ; leur intérêt se porte ailleurs. Nous étudierons sous peu le sens des images qui renvoient Rivière vers le domaine familial en quelques occasions.

Terre des Hommes est le livre d'un auteur moins soucieux de susciter des antagonismes comme ceux du récit précédent, que de tenter de réconcilier les éléments qu'il venait de présenter comme contradictoires et incompatibles. Si l'action et la vie de famille s'opposent en fait, ces deux modes de vie n'en sont pas moins susceptibles de coexister et de se compléter dans le rêve et dans le souvenir. *Terre des Hommes* ouvre la série des documents les plus authentiques dans lesquels l'écrivain retrouve son enfance et commence à bâtir sa demeure intérieure, *Citadelle*. Dès *Terre des Hommes*, l'action et le souvenir de la vie familiale ne se sépareront plus ; ils se mêleront dans les plus belles pages de notre auteur. *Citadelle* sera le produit transfiguré, surréalisé, de cette synthèse.

Voici comment l'aviateur revoit sa maison dans un des passages les plus prenants de *Terre des Hommes* :

« Sur une assise de minéraux un songe est un miracle. Et je me souviens d'un songe... (96)

» Puis, je compris et m'abandonnai, les yeux fermés, aux enchantements de ma mémoire. Il était quelque part, un parc chargé de sapins noirs et de tilleuls et une vieille maison que j'aimais. Peu m'importait qu'elle fût éloignée ou proche (...) il suffisait qu'elle existât pour remplir ma nuit de sa présence (...) j'étais l'enfant de cette maison, plein du souvenir de ses odeurs, plein de la fraîcheur de ses vestibules, plein des voix qui l'avaient animée. Et jusqu'au chant des grenouilles dans les mares qui venaient ici me rejoindre. J'avais besoin de ces mille repères pour me reconnaître moi-même, pour découvrir de quelles absences était fait le goût de ce désert (...) Et ce goût même d'éternité que j'avais cru tenir de lui, j'en découvrais maintenant l'origine. Je revoyais les grandes armoires solennelles de la maison. Elles s'entr'ouvraient sur des provisions glacées de neige (...) La vieille gouvernante (...) aussitôt courant se brûler les yeux sur quelque lampe, à réparer la trame de ces nappes d'autel, à ravauder ces voiles de trois-mâts, à servir je ne sais quoi de plus grand qu'elle, un Dieu ou un navire. » (97)

L'image de la maison s'est considérablement affermie et élargie. L'auteur prend conscience du fait qu'elle est à l'origine de la plupart des sensations qu'il éprouve dans l'éloignement. L'image primitive de la demeure de l'enfance accueille des éléments nouveaux qui nous permettent de pressentir sa destination future : les « nappes d'autel » suggèrent la maison de Dieu, le temple ; les « voiles » annoncent le navire de *Citadelle.* Avant de traiter ces deux aspects de l'image, nous voudrions citer quelques lignes extraites du plus émouvant des songes de *Citadelle,* celui qui transfigure la maison de l'enfance ; on y relira, estompés, les détails du songe précité. M. Pélissier rapporte, au sujet de ce passage, au moment où Saint-Exupéry venait de le lui lire : « ... il me prit brusquement le cahier des mains et me dit d'un ton sans réplique : Allez, c'est certainement ce que j'ai écrit de mieux ! » (98)

« Moi j'avance lentement, un pas lent sur la dalle d'or, un pas lent sur la dalle noire, dans les profondeurs de mon palais (...) Et me berce mon propre pas : je suis rameur inépuisable vers où je vais. Car je ne suis plus de cette patrie.

» De vestibule en vestibule, je poursuis mon voyage. Et tels sont les murs. Et tels sont les ornements suspendus au mur. Et je contourne la grande table d'argent où sont les candélabres. Et je frôle de la main tel pilier de marbre. Il est froid. Toujours. Mais je pénètre dans les territoires habités. M'en viennent les bruits comme dans un rêve car je ne suis plus de cette patrie.

» (...) Et je passe d'une civilisation à une autre civilisation.

» Car j'allai respirer midi sur mon empire.

» Et je viens de naître. » (99)

Telle est la demeure nouvelle, la *Citadelle* intérieure, la maison du rêve de celui qui était aussi l'homme d'action, mais qui confesse, aux dernières pages de son poème : « Moi qui suis positif et méprise la pourriture du rêve (...) j'ai constaté que rien ne valait pour l'homme une odeur de cire par un certain soir... » (100)

Citadelle est véritablement le poème où l'écrivain transfigure ses souvenirs, en les dépouillant des éléments biographiques et temporels qui les ferait reconnaître, et où il leur confère une réelle valeur didactique. La maison du poème posthume devient ainsi le symbole architectural d'une civilisation intérieure que l'auteur propose en exemple à son peuple ; elle est la « citadelle » qu'il construira dans le cœur de l'homme [101] ; elle est aussi bien le « palais » [102], le « temple » [103], le « navire » [104] (« Citadelle ! je t'ai donc bâtie comme un navire. ») Elle est la nef (la cathédrale) de l'effort collectif dont l'auteur disait dans *Pilote de Guerre* : « Ma civilisation est héritière des valeurs chrétiennes. Je réfléchirai à la construction de la cathédrale, afin de mieux comprendre son architecture. » [105] Comme la maison que venait de quitter l'héroïne du premier roman, la demeure idéale est le cadre qui dure plus que les hommes et qui assure leur permanence. Le symbole réutilise tous les éléments de l'image évoquée dans les souvenirs de l'enfance, mais il en efface le contour. La maison familiale était entourée d'un parc enclos ; la demeure idéale s'étend à la « cité »[106], à la « ville » [107], au « domaine » [108], à l' « empire » [109]. Elle finit par devenir une sorte de royaume des âmes belles que l'écrivain situe dans l'au-delà d'une nouvelle naissance, et qu'il entrevoit dans ses heures de contemplation mystique. Elle est ainsi le « Royaume de Dieu » que le héros de *Courrier-Sud* n'a pas trouvé dans le Christianisme, et que le Prince de *Citadelle* découvre en redevenant l'enfant de la maison paternelle. [110]

Que Saint-Exupéry l'ait voulu ou non, son symbole de la maison a fini par devenir, dans *Citadelle*, une image de la rédemption très voisine de celle que représentent, aux yeux des Chrétiens, la Maison du Père et le Royaume des Cieux. Paradoxes pour l'intelligence, les paraboles évangéliques rétablissent une correspondance fondamentale entre une réalité visible et un univers invisible ; elles contiennent des images qui sont comme les clés d'un mystère qu'il faut accepter comme tel, en redevenant « comme les petits enfants ». [111]

C'est à ce pouvoir salvateur du symbole que Saint-Exupéry croyait déjà, quand il adressait à son Dieu, au début de *Citadelle*, cette prière : « Seigneur (...) donne-moi cette image contre laquelle ils s'échangeront dans leurs cœurs. » [112] Saint-

Exupéry a-t-il imaginé qu'il détenait les clés d'un nouveau Temple ? A-t-il pensé que *Citadelle* était une nouvelle bible ? Des fragments comme ceux que nous voudrions citer ici établissent que l'écrivain lui-même nourrissait peu de doutes à ce sujet :

> « Ils sont là, Seigneur, sollicitant de moi leur signification. Ils attendent leur vérité, de moi, Seigneur, mais elle n'est point forgée encore. Eclairez-moi.
>
> » (...) Ils m'apportent en vrac leurs souhaits, leurs désirs, leurs besoins. Ils les empilent sur mon chantier comme autant de matériaux dont je dois créer l'assemblage afin que les absorbe le temple ou le navire... (113)
>
> » Je donne les clés de l'étendue. (114)
>
> » ... J'ai beaucoup à donner mais je n'ai rien à recevoir. » (115)

C'est une étrange destinée que celle d'une image remontée du souvenir, qui a fini par se fixer dans un symbole individuel du salut, et, du même coup, est devenue la clé d'une rédemption collective.

Parmi les images qui découlent de celle de la maison ou qui s'organisent autour d'elle, il y en a de deux espèces. Les premières, les plus intrigantes, traduisent des souvenirs intimes ou des aspirations secrètes de l'auteur ; ce dernier ne les surcharge pas de contenu culturel et il parvient à leur conserver une fraîcheur et une légèreté poétiques qui soulignent un aspect particulièrement attirant du talent de l'aviateur. Ces images sont parfois esquissées avec tant de discrétion et de tact qu'elles restent mystérieuses, échappent à l'analyse et font appel à la psychanalyse ; les plus intéressantes d'entre elles, à notre avis, ont pour thème : *l'eau* et *le merveilleux.*

Quant aux images de la seconde espèce, elles traduisent elles aussi des souvenirs d'enfance, mais elles se transforment très tôt en symboles assez lourds de sens, trop lourds parfois. L'auteur semble les considérer un peu trop sous l'angle de la productivité spirituelle ; il en tire des effets de convention qui, dans *Citadelle* en tout cas, ne vont pas sans nuire à leur beauté poétique. C'est parmi les symboles de cette deuxième sorte qu'il faut ranger *le trésor, la lampe,* l'arbre, la graine, la rose et la bergerie. De tous ces symboles nous ne retiendrons que celui du trésor et celui de la lampe qui nous semblent avoir été traités avec le plus de finesse par Saint-Exupéry.

L'eau.

L'écrivain a évoqué dans *Courrier-Sud* un souvenir d'enfance qui a dû le visiter bien souvent dans la suite, car il en a reparlé dans d'autres livres :

« Sans doute craignait-on pour nous cette citerne à ciel ouvert, l'horreur d'un enfant noyé dans la mare... » (116) *(Courrier-Sud).*

« Rivière se souvient d'une vision qui avait frappé son enfance : on vidait un étang pour trouver un corps... » (117) *(Vol de Nuit).*

« Je te dis meurtrier si l'enfant se noie dans ta mare, et que tu négliges de le secourir. » (118) *(Citadelle).*

Cette image d'un événement réel, d'une crainte imaginaire ou d'une appréhension justifiée, un psychanalyste l'associerait peut-être à d'autres manifestations d'un souci très caractéristique de Saint-Exupéry : sa recherche inconsciente de l'enfant spirituel. N'étant pas psychanalyste, nous nous contenterons de constater certains faits littéraires et de mettre en lumière certains aspects accessibles de ce problème, quand nous relirons quelques textes du *Petit Prince,* au troisième chapitre de cette étude.

Il y a, dans les livres de Saint-Exupéry, une autre image de l'eau qui réapparaît sous une forme particulièrement saisissante dans deux ouvrages successifs, avant d'aboutir dans *Citadelle* où l'auteur en tire des enseignements précieux. Il ne s'agit pas, cette fois, d'un incident vécu ou imaginé dans l'enfance passée au domaine familial ; il est question d'un événement réel dont l'écrivain fut victime. (119)

Les biographes de Saint-Exupéry ont raconté qu'un jour le romancier-aviateur n'a pas pu redresser un hydravion qu'il essayait ; l'appareil s'est enfoncé dans les eaux, y entraînant son occupant. On ne parvint à ranimer le pilote qu'après avoir pratiqué sur lui la respiration artificielle. De ce contact avec la « mort », l'écrivain a rapporté une gerbe d'expériences et d'images saisissantes. Voici ce qu'il en dit dans *Terre des Hommes* :

« Eh ! bien sûr, j'ai découvert cette évidence. Rien n'est intolérable (...) Je ne crois qu'à demi au supplice. Je me suis déjà fait cette réflexion. J'ai cru un jour me noyer, emprisonné dans une cabine, et je n'ai pas beaucoup souffert. (...) Oui, oui, voilà qui est intolérable. Chaque fois que je revois ces yeux qui attendent, je ressens une brûlure. L'envie soudaine me prend de me lever et de courir droit devant moi. Là-bas on crie au secours, on fait naufrage ! » (120)

Dans *Pilote de Guerre*, l'auteur tire une autre leçon de l'événement :

« Et je sais bien que le champ de la conscience est minuscule. Elle n'accepte qu'un problème à la fois (...) Quand j'ai cru me noyer, au cours d'un accident d'hydravion, l'eau qui était glacée, m'a paru tiède. Ou, plus exactement, ma conscience n'a pas considéré la température de l'eau. Elle était absorbée par d'autres préoccupations... » (121)

Dans *Citadelle* enfin, le souvenir est sublimé, dépouillé des détails qui permettraient de reconnaître trop facilement l'événement historique. Ce passage est d'autant plus révélateur qu'il utilise le thème de l'eau et montre, en même temps, que l'auteur a recours à ce thème pour illustrer l'envahissement de la conscience par les forces de l'inconscient :

« Alors commence l'agonie qui n'est plus que le balancement d'une conscience tour à tour vidée puis remplie par les marées de la mémoire. Elles vont et viennent comme le flux et le reflux, rapportant, comme elles les avaient emportées toutes les provisions d'images, tous les coquillages du souvenir, toutes les conques de toutes les voix entendues. Elles remontent, elles baignent à nouveau les algues du cœur et voilà toutes les tendresses ranimées. Mais l'équinoxe prépare son reflux décisif, le cœur se vide, la marée et ses provisions rentrent en Dieu. » (122)

Le texte qui précède est bien plus qu'une métaphore prolongée et cohérente ; il constitue une transposition sur le plan littéraire de certaines notions psychanalytiques. C'est, de même, à la lumière de cette science qu'il faudrait étudier les images de ce genre :

« ... car nous cherchions (...) à t'entraîner, sous les apparences, dans ce fond des mers où nous appelait notre inquiétude. (123)

» Il me semble qu'un vaisseau chavire. Il me semble qu'un enfant s'apaise. Il me semble que ce frémissement de voiles, de mâts et d'espérances entre dans la mer. (124)

» ... cette douceur qui n'était pour lui qu'un fond de mer. (125)

» Me hantait donc cette image d'une génération installée en intruse dans la coquille d'une autre. » (126)

Le merveilleux.

Si d'étroits rapports unissent le symbole de l'immersion et celui de l'enfant, la relation qui lie le thème du merveilleux à la quête de l'enfant spirituel est encore plus intime. Le merveilleux, lui aussi, prend sa source dans les souvenirs d'une enfance heureuse et protégée, dans le cadre du domaine familial. Les ouvrages de Saint-Exupéry abondent en allusions au « monde fabuleux » [(127)], au « royaume fantastique » [(128)], au « royaume que depuis Merlin on sait pénétrer sous les apparences » [(129)], aux « contes de fées » [(130)], à « la Belle au bois dormant » [(131)], à « Orphée » [(132)], au « chevalier Aklin » [(133)], sans oublier « les petits princes des légendes [(134)] et le Petit Prince du dernier conte biographique.

Ce que Saint-Exupéry emprunte au merveilleux de son enfance, c'est bien plus qu'une certaine terminologie, c'est un jeu d'images autour desquelles les pensées de l'adulte se condensent. Mythologie grecque, merveilleux féodal reconstitué dans des jeux d'enfants, contes de Perrault ou d'Andersen, les *Mille et une Nuits* — que l'auteur les cite ou non — ces éléments sont des condensateurs de rêves dont l'écrivain se sert au cœur des scènes d'action aussi bien qu'au sein des méditations philosophiques.

Ici, c'est une image des *Mille et une Nuits* ; l'auteur y a recours pour exprimer le plus exactement possible les sentiments qu'il éprouve à la pensée des camarades qui vont mourir dans un ciel d'étoiles : « Pareils à ces voleurs des villes fabuleuses, murés dans la chambre aux trésors dont ils ne sauront plus sortir. Parmi des pierreries glacées, ils errent, infiniment riches, mais condamnés. » (135)

Là, c'est un conte de fées qu'il va vivre : « J'avais atterri dans un champ, et je ne savais point que j'allais vivre un conte de fées... » (136)

Là encore, c'est à un jeu de l'enfance que l'aviateur participe, tandis qu'il survole une ville en feu, pendant la guerre : « je joue encore au *chevalier Aklin*... » (137)

Le *Petit Prince* viendra un jour justifier l'importance de toutes ces images qui renvoient à un essentiel invisible et merveilleux dont Saint-Exupéry a retrouvé la clé : « Les enfants seuls savent ce qu'ils cherchent. » (138)

Cependant, si elles tendent à signifier cet essentiel, ces images n'en deviennent jamais les signes conventionnels, dans les récits d'aviation en tout cas ; seul le conte du *Petit Prince* les emploie en tant que symboles et leur attribue une certaine valeur didactique.

Parmi les plus authentiques symboles de la deuxième espèce que nous envisagions plus haut, nous voudrions considérer à présent ceux du trésor et de la lampe. Leur origine se situe dans le cadre général de l'enfance passée dans le domaine familial.

Le trésor.

Courrier-Sud révèle la source véritable de ce symbole : la maison de l'enfance contenait « ce trésor que nous disions caché (...) exactement décrit dans les contes de fées... » (139) Cette citation se voit confirmée par d'autres textes, spécialement par celui-ci que nous extrayons du *Petit Prince* : « Lorsque j'étais petit garçon j'habitais une maison ancienne, et la légende racontait qu'un trésor y était enfoui (...) ma maison cachait un secret au fond de son cœur... » (140) Dès le premier roman, l'image du merveilleux enfantin traduit une quête de l'âge adulte, une recherche du cœur ; le trésor est toujours

« enfoui » ou « caché », au-dessous des apparences ; c'est le signe d'un monde secret auquel on accède « par le grand voyage du demi-sommeil » (141). Il s'appelle parfois « la perle » (142) ou « la source » (143).

Dans *Citadelle*, le symbole réapparaît dans de nombreux passages où il est parfois malaisé de saisir la pensée de l'auteur. Une conviction fondamentale se dégage des considérations mystiques auxquelles Saint-Exupéry s'abandonne sur la nature du trésor : « Je te parlerai donc sur le sens du trésor. Lequel est d'abord invisible, n'étant jamais de l'essence des matériaux. » (144) De plus, il est le signe d'un échange ; on le trouve comme dans le cadre d'un grand jeu, en se soumettant à des règles, « comme à une épouse au devoir d'un jeu. » (145) Il est quelquefois semblable à une « rose » dont la vertu principale réside dans sa valeur d'échange : « Tu l'as échangée contre mon sourire... » (146)

En fait, c'est la notion de l'échange d'un bien visible contre une richesse invisible qui finit par se fixer définitivement dans le symbole du trésor. Dans sa dernière méditation à ce sujet, l'auteur dira de ce trésor : « ... il ne s'agit point d'un bijou mais de la mort... » (147) Il rejoindra ainsi le principe qu'il énonçait au début du testament posthume : chercher l'essentiel, c'est « s'échanger toujours contre plus vaste que soi (...) maison, domaine, empire, royaume de Dieu... » (148). Il est curieux de constater que *Courrier-Sud* s'achevait sur l'idée du trésor trouvé dans la mort. Après l'accident fatal de Bernis, Saint-Exupéry s'interrogeait ainsi : « C'était donc ici le trésor : l'as-tu cherché ! » (149). Comme d'autres images remontées de l'enfance vécue dans la demeure familiale, celle du trésor s'est chargée, dans *Citadelle*, de significations diverses qui l'ont alourdie.

La lampe.

Cette image est celle dont l'écrivain a usé avec le plus de parcimonie, sans, cependant, la laisser improductive. Elle est parfois le signe du bonheur familial, parfois encore celui de la vigilance.

Terre des Hommes en signale la source : « Et surtout j'aimais le transport des lampes. De vraies lampes lourdes, que l'on charriait d'une pièce à l'autre, comme aux temps les plus profonds de mon enfance, et qui remuaient aux murs des ombres merveilleuses... » (150) Ce sont ces mêmes objets qui hantent l'aviateur dans un mirage qu'il a au désert : « Ah ! quand j'ai aperçu toutes ces lampes !... Quelles lampes ? » (151)

Pour le pilote qui, d'en haut, découvre ou devine les lampes familiales, celles-ci semblent éclairer un bonheur qu'il ne connaîtra pas ou auquel il devra renoncer. Elles sont tantôt des pièges tentateurs, tantôt des signes annonciateurs du salut ; l'aviateur doit savoir les interpréter. De toute manière, elles aident les solitaires de l'action aérienne à se souvenir des hommes et à repenser telle ou telle phase de leur vocation. (152)

Ailleurs encore, la lampe est le symbole de la vigilance comme en font foi ces deux passages presque identiques de *Courrier-Sud* et du *Petit Prince* : « Il faut se hâter de nourrir la lampe. Mais il faut aussi protéger la flamme du grand vent qu'il fait. » (153) ; « Il faut bien protéger les lampes : un coup de vent peut les éteindre... » (154)

En ce qui concerne *Citadelle*, la lampe n'y joue aucun rôle ; l'auteur n'y a pas tiré parti de ce symbole.

Ainsi s'achève l'analyse des images poétiques que nous considérons comme étant les plus belles et les plus attachantes. A leur point de départ, elles s'ordonnent autour du foyer familial ; elles passent ensuite de l'état de réminiscences individuelles à celui de symboles collectifs ; à leur destination ultime (dans *Citadelle*) elles se réorganisent autour du concept de la demeure idéale. Cette citadelle intime, Saint-Exupéry l'ouvre à tous les hommes ; il brûle de communiquer son essentiel à la collectivité humaine. Il cesse alors de se souvenir ; il signifie, il donne les clés du royaume à tous ceux qui voudront s'en saisir. En dernière analyse, il parle en paraboles, récrit la

Bonne Nouvelle et prêche un nouveau Royaume. Replacée dans la perspective de ces promesses peu communes, la théorie de l'image de Saint-Exupéry revêt une importance primordiale ; elle nous paraît être, de tout l'Art Poétique, le procédé de persuasion que l'auteur s'est efforcé de définir, de parfaire et d'utiliser avec le plus de clairvoyance et de détermination. En regard de cette théorie, la conception du langage et celle du poète ne manqueront pas de sembler incomplètes et rudimentaires.

Le langage.

Saint-Exupéry a essayé de redéfinir les mots à partir des images que sa mémoire lui imposait sans trêve. Il s'est toujours méfié du langage ; sa méfiance s'est accrue à mesure que se multipliaient les obstacles qui se dressent fatalement devant le mystique contemplatif, quand il entreprend de traduire ses visions et ses attitudes intérieures les plus secrètes. D'autre part, Saint-Exupéry n'a conféré au langage écrit ou parlé qu'une valeur relative ; il l'a toujours considéré en relation avec les divers modes d'expression et de communication dont les hommes disposent : il a conçu l'acte comme une forme du langage aussi valable que la parole écrite, la notation musicale ou la transcription picturale.

L'insatisfaction du langage, les personnages de *Courrier-Sud* la portent déjà en eux. Geneviève est incapable d'exprimer ce qu'elle a ressenti quand son enfant lui est né : « Et les mots n'existaient pas pour décrire ce qu'elle avait tout de suite éprouvé... » (155) Quand Bernis veut faire comprendre à Geneviève que leur union est impossible, il renonce, lui aussi, à traduire l'informulable : « (il) connut encore que les mots ne le serviraient pas. » (156) Les longs mois que l'auteur a vécus dans la solitude du désert, tandis qu'il écrivait son roman, sont sans doute à l'origine de cette réelle inquiétude du langage ; voici ce qu'il en rapporte : « Ici les mots perdaient peu à peu la caution que leur assurait notre humanité. Ils n'enfermaient plus que du sable. Les mots les plus lourds comme *tendresse, amour,* ne posaient dans nos cœurs aucun lest. » (157) C'est également au désert et dans son isolement que Saint-Exupéry a commencé à essayer de redéfinir les mots de son vocabulaire. C'est ainsi qu'il se revoit, en pensée, l'habitant d'une maison et qu'il conclut, pour redonner sa valeur au mot habiter : « Car, j'ai découvert une grande vérité, à savoir que les hommes habitent. » (158) (*Citadelle* : « Je suis celui qui habite. ») (159)

Vol de Nuit révèle un écrivain tout aussi convaincu qu'il y a des sensations et des concepts inexprimables, et que les mots sont des signes purement conventionnels et relatifs. Une étrange conversation que tiennent Simone Fabien et Rivière illustre bien ce point de vue ; les deux personnages ébauchent des phrases qu'ils ne terminent pas et ils communiquent par des silences après avoir renoncé à traduire en mots les vérités qu'ils se découvrent : « ... elle aussi découvrait sa propre vérité, dans cet autre monde, inexprimable. » (160) Le romancier est encore plus catégorique à la fin de son livre quand il proclame : « Victoire... défaite... ces mots n'ont point de sens. La vie est au-dessous de ces images, et déjà prépare de nouvelles images... » (161)

Dans *Terre des Hommes,* Saint-Exupéry précise sa pensée ; notre langage a vieilli et il a perdu beaucoup de son efficacité :

> « Tout a changé si vite autour de nous : rapports humains, conditions de travail, coutumes. Notre psychologie elle-même a été bousculée dans ses bases les plus intimes. Les notions de séparation, d'absence, de distance, de retour, si les mots sont demeurés les mêmes, ne contiennent plus les mêmes réalités. Pour saisir le monde d'aujourd'hui, nous usons d'un langage qui fut établi pour le monde d'hier. Et la vie du passé nous semble mieux répondre à notre nature, pour la seule raison qu'elle répond mieux à notre langage. » (162)

Ce que l'écrivain décèle dans le siècle, ce n'est pas la décadence d'une culture ou la démission d'une civilisation, c'est l'inaptitude du langage à saisir et à exprimer les transformations de la vie. A l'encontre de nombreux humanistes, l'auteur de *Terre des Hommes* est porté à juger favorablement son époque. Bien avant 1939, des hommes comme Denis de Rougemont, Malraux ou Bernanos avaient, eux aussi, constaté la faillite du langage, mais ils avaient vu l'origine de cet échec dans le déclin d'une civilisation ; parmi d'autres, ils s'étaient inscrits contre une *culture* « qui parle dans le vide » (163), « qui ne meurt que de sa propre faiblesse » (164) ou qui a mis la Parole « sous le boisseau » (165).

Dans *Pilote de Guerre,* l'auteur tire ses conclusions du cataclysme qui s'est abattu sur l'Europe : « L'Humanisme a (...) travaillé dans une direction barrée d'avance. Il a cherché à saisir la notion d'Homme par une argumentation logique et morale, et à le transporter ainsi dans les consciences. » (166) Et il poursuit, comme s'il se souciait de préparer ses lecteurs au langage mystique de son œuvre posthume :

> « Aucune explication verbale ne remplace jamais la contemplation. L'unité de l'Etre n'est pas transportable par les mots...
>
> » Ainsi devient-on l'homme d'une patrie, d'un métier, d'une civilisation, d'une religion. Mais pour se réclamer de tels Etres, il convient d'abord de les fonder en soi. Et, là où n'existe pas le sentiment de la patrie, aucun langage ne le transportera. On ne fonde en soi l'Etre dont on se réclame que par les actes. » (167)

C'est ainsi que se résout, chez l'aviateur, une crise de la pensée et du langage au cours de laquelle il s'est fortifié dans ses convictions originelles : « Les mots sont contradictoires ? Je me moque des mots. » (168) ; « Car l'amour est plus grand que ce vent de paroles. » (169)

Si nous envisageons ces textes dans leur enchaînement chronologique, de 1928 à 1942, nous pouvons y suivre le développement d'une conception du langage que *Citadelle* viendra confirmer, et dont la courbe ascensionnelle nous apparaît comme étant la suivante : si, d'une part, l'intuition seule permet de saisir la vie dans son essence et si, d'autre part, les mots de notre vocabulaire ne traduisent que certains aspects passagers et contradictoires de la vie et remplissent mal leur mission, alors il vaut mieux se retourner vers la contemplation et essayer de traduire en *actes* les enseignements qu'elle procure (l'acte étant le premier et le plus authentique des langages, celui qui adhère vraiment à l'élan vital qu'il traduit).

Citadelle développe cette ligne de pensée. L'auteur y montre tantôt ce que le langage n'est pas, tantôt ce qu'il est ou devrait être.

Le langage n'est pas à l'abri de la destruction. Le chef de *Citadelle* affirme qu'il s'applique à sauver le langage de sa civilisation : « Langage de mon peuple, je te sauverai de pourrir. » (170) Il cite l'exemple d'un peuple dont le langage « s'est usé » (171), mais qu'un « chanteur (...) par la toute-puissance de son verbe (...) convertit. » (172) Quant à lui, il ne dispose d'aucun homme susceptible d'accomplir ce miracle : « Mais je manque de chanteur et je n'ai point de vérité et je n'ai point de manteau pour me faire berger... » (173) Les trois dernières citations sont extraites d'un passage assez obscur dont il est impossible de saisir la leçon en toute certitude. Il nous semble, cependant, qu'on peut y lire des allusions voilées au rôle historique joué par le Christ. C'est Lui qui a incarné la toute-puissance du Verbe de Dieu (la Parole faite chair) et dont le message oral a converti un peuple dont le langage spirituel s'était usé. Cette interprétation nous paraît d'autant plus valable que l'auteur de *Pilote de Guerre* avait défini sa civilisation comme « héritière de Dieu » et « héritière des valeurs chrétiennes » (174). De quelque manière qu'on interprète ces textes on ne peut en tout cas manquer d'y déceler une certaine nostalgie d'un Verbe absolu, et un désir de vigilance, afin de sauvegarder le langage. Le Verbe a pu un jour venir de Dieu, mais seul a subsisté le langage humain, avec toutes ses imperfections.

La première de ces faiblesses réside dans le fait que le langage est une source de contradictions inutiles : « Mais je sais aussi que ces litiges ne sont que litiges de langage et que chaque fois que l'homme s'élève, il les observe d'un peu plus haut. Et les litiges ne sont plus. » (175)

Saint-Exupéry distingue deux catégories de contradictions, de « litiges » : les contradictions apparentes, celles du langage, et les contradictions réelles, celles qui opposent des forces et favorisent l'activité créatrice. Les premières résultent d'un langage insuffisant ; elles se résolvent facilement. On peut lire une longue démonstration de ce principe au chapitre LIX de *Citadelle*. Pour illustrer sa pensée, l'auteur considère deux mots qui, au premier abord, évoquent une antithèse : « juger » et « respecter ». Il peut paraître contradictoire, dit-il, de vouloir soulager et guérir un condamné à mort qui est malade, avant de lui faire subir la peine capitale. Mais Saint-Exupéry s'empresse de montrer que l'opposition des deux termes n'est qu'apparente et résulte d'une confusion de sens : « ... il t'est ordonné de juger l'homme, mais il t'est ordonné aussi de le respecter. » (176)

Les autres contradictions, les seules qui soient valables, ne relèvent pas des insuffisances du langage ; elles naissent de la vie et lui sont inhérentes. Elles sont des sources d'énergie créatrice. C'est d'elles que jaillit l'œuvre poétique : « la poésie, fille des litiges. » (177) Ces antagonismes, il est « vain et dangereux » de les « interdire » (178) ; il faut s'user contre eux et ainsi se grandir.

Une deuxième imperfection grave que Saint-Exupéry reconnaît au langage, est de ne pas être apte à « saisir », et de se contenter de « signifier ». Dans son vocabulaire particulier, l'auteur de *Citadelle* établit une distinction essentielle entre ces deux opérations : dans l'idéal, le langage *saisit* quand il parvient à capter les élans psychiques et les attitudes les plus intimes du poète, en dehors des voies de la logique ; en pratique, le langage ne peut que *signifier*, c'est-à-dire transmettre une faible part de ces notions secrètes, en les faisant passer dans les signes conventionnels et relatifs des mots de notre langue. « ... et j'ai bien découvert les périls de l'intelligence : celle qui croit que le langage saisit (...) Car ce n'est point par la voie du langage que je transmettrai ce qui est en moi. Ce qui est en moi, il n'est point de mot pour le dire. Je ne puis que le signifier dans la mesure où tu l'entends déjà par d'autres chemins que la parole. » (179) Et ces chemins, Saint-

Exupéry les voit principalement dans l'amour que le poète fait déborder dans son œuvre, et dans les affinités intuitives du lecteur : « Par le miracle de l'amour ou, parce que, né du même dieu, tu me ressembles. » (180)

Ici, c'est l'expérimentateur qui s'exprime : « Et il me paraît bien évident que, si je disposais d'une humanité encore inanimée et si je voulais l'éduquer, et l'instruire et la remplir des mêmes mille mouvements divers, le pont du langage n'y suffirait point. Car certes nous communiquons, cependant les mots de nos livres ne contiennent point le patrimoine... » (181) Et c'est le mystique qui conclut : « Car il s'agit d'attitudes intérieures et de points de vue particuliers et de résistances et d'élans et de systèmes de liaison entre les pensées et entre les choses (...) dont le trésor intérieur ne se transmet point par la parole mais par l'affiliation de l'amour. Et d'amour en amour ils se lèguent cet héritage. Mais si vous rompez le contact une seule fois de génération en génération, alors meurt cet amour. » (182)

Enfin, le langage n'est pas une entité absolue qui tendrait vers sa propre fin ; il doit prendre un sens, une direction qui le justifie et qui se situe en dehors de lui : « Et les coutumes et les lois et le langage de mon empire, je ne cherche point en eux-mêmes leur signification. » (183)

Cependant, si insatisfaisant qu'il puisse être, le langage est doué d'un certain pouvoir ; de plus, tout imparfait qu'il soit, il est perfectible par l'opération du style.

En effet, le langage est un moyen de connaissance. Il fonde et délivre dans l'individu « l'étendue » (184) dont celui-ci a besoin pour développer sa personnalité dans le cadre d'une collectivité. L'homme est fait pour communiquer ; mais que pourrait-il avoir à transmettre si, à son tour, il ne recevait rien de ce qui l'entoure ? De quoi seraient faits les sentiments et les concepts d'un être qui vivrait sans posséder la notion de l'étendue ? Pour croître, l'homme requiert un cadre spatial et temporel ; il doit se sentir « pris dans un réseau miraculeux » (185). Seul le langage permet de traduire l'étendue et d'en faire naître le concept dans l'esprit de ceux qui ne la connaissent pas.

Le langage est aussi un adjuvant du devenir ; il participe à l'évolution créatrice et est soumis à ses lois. L'arbre étant, par excellence, le symbole de la vie ascendante et de la lente mais permanente transformation, Saint-Exupéry lui compare le langage : « Le langage est de l'échelle de l'arbre. » (186) Ailleurs, l'auteur écrit : « Et mon langage dans son essence n'est point fait pour charrier des touts déjà devenus... » (187)

Le langage a un sens. Ici, comme le Claudel de l'*Art Poétique*, (188) Saint-Exupéry fait de « sens » un synonyme de « direction ». Il manie le paradoxe à partir de ce mot : « ... le monde n'a point de sens (...) Laisse faire la vie... » (189) Ce qu'il veut dire, c'est : « ... seules comptent la pente, la direction et la tendance vers » (190) ; « Seule la direction a un sens. Ce qui importe c'est d'aller vers... » (191) Selon cette acception du mot « sens », le langage est divin ; il tend vers Dieu, vers la perfection idéale : « Car Dieu d'abord est sens de ton langage et ton langage s'il prend un sens te montre Dieu. » (192)

En dernière analyse, le langage est doué d'un certain pouvoir magique. Il exerce ce pouvoir s'il satisfait à certaines exigences : notamment, essayer de *saisir* et *nouer des relations.*

Pour « saisir », dans la mesure de ses moyens, le langage doit explorer les profondeurs de l'inconscient et en ramener des notions qui n'ont jamais été formulées, mais qui, si elles parviennent à la lumière de la conscience lucide, y reçoivent un nom et deviennent des clés :

> « Il est dans les mers du Nord des glaces flottantes qui ont l'épaisseur de montagnes, mais du massif n'émerge qu'une crête minuscule dans la lumière du soleil. Le reste dort. Ainsi de l'homme dont tu n'as éclairé qu'une part misérable par la magie de ton langage. Car la sagesse des siècles a forgé des clefs pour s'en saisir. Et des concepts pour l'éclairer. Et de temps à autre te vient celui-là qui amène à sa conscience une part encore informulée, à l'aide d'une clef neuve, laquelle est un mot, comme *jalousie* dont je t'ai parlé, et qui exprime d'emblée un certain réseau de relations (...) la parole qui agit (...) exprime la part obscure encore et qui n'a point de langage. » (193)

A cette théorie psychanalytique du langage, Saint-Exupéry a ajouté des conceptions plus spécialement scientifiques. Il a vu dans chaque symbole ramené de l'inconscient une étape nouvelle sur la voie d'un « énoncé général de l'univers ». Voici comment il s'est exprimé à cet égard dans une lettre qu'il adressait à un physicien :

« Un concept est essentiellement la spécification et le rappel par un vocable, d'une certaine structure de relation, extraite d'un objet ou d'une expérience donnés, et EXTRAPOLABLE à d'autres expériences ou d'autres objets (...) Ainsi *jalousie* spécifie une certaine structure de relations homme-femme. Mais il peut me servir à évoquer, dans d'autres domaines, une structure semblable. Ainsi je puis définir la soif par *la jalousie de l'eau* (...) Ceci est une question de langage (...) Ceci est affaire de création pure, non d'observation. (...) Cette démarche est une démarche vers l'universel. La démarche scientifique implique que, de gain de concept en gain de concept, je me rapprocherai sans un seul recul d'un énoncé général de l'univers (...) Ma vérité se rapproche pas à pas, bien que sans espoir de l'atteindre, d'une vérité absolue... » (194)

Dans le premier texte comme dans le second, qu'il parle de la *clé* ou du *concept*, Saint-Exupéry fait aboutir ses conceptions du langage au symbole ; ici, il indique la source du symbole, là, il en consacre la destination. Il se sert d'ailleurs du même exemple (jalousie) pour illustrer les deux aspects essentiels du langage : traduire et éclairer la part inconsciente de l'homme, et déchiffrer l'analogie universelle. Ces théories, l'écrivain les a étendues et appliquées au style littéraire qu'il a considéré comme une vaste opération de magie.

Le style est l'instrument qui permet au poète de rassembler les « captures » effectuées par les mots, les groupes de mots et les phrases : « ... il faut me nouer dans les liens de ton langage et c'est pourquoi le style est opération divine. » (195)

Il n'est pas de style facile, de féerie gratuite ; la magie du style ne peut résulter que d'un effort conscient et incessant : « Lorsque j'ai, moi, sculpteur, fondé un visage, j'ai fondé une contrainte. Toute structure devenue est contrainte. Lorsque j'ai saisi quelque chose j'ai noué un poing pour le garder. Ne me parle pas de la liberté des mots d'un poème. Je les ai soumis les uns aux autres selon tel ordre qui est le mien. » (196) Et à ceux qui considèrent le style comme un simple jeu, Saint-Exupéry rétorque : « Faible et pitoyable est la joie que tu tires de fausses structures en les inventant par jeu. » (197)

S'il envisage le style comme l'opération la plus consciente et la plus efficace dont il dispose pour capter et exprimer ses mouvements intérieurs, le poète peut alors exercer une certaine influence sur son lecteur et aider celui-ci à se connaître : « L'écriture a été de t'y convertir en te faisant faiblement te connaître ainsi devenu, et espérer. » (198)

Est-il possible de tirer des conclusions pratiques de ces divers principes ? Nous pouvons, en tout cas, en constater quelques résultats, avec l'aide de l'auteur, dans les domaines du vocabulaire et du style.

Tel que Saint-Exupéry le conçoit, le vocabulaire d'un écrivain peut n'inclure qu'un nombre relativement réduit de mots-clés usuels et éprouvés, qui sont susceptibles de réapparaître dans des combinaisons sans cesse renouvelables : les images poétiques. C'est ce que Saint-Exupéry affirme quand il écrit :

> « ... la seule véritable richesse et divinité de l'homme n'étaient point ce droit à la référence du dictionnaire, mais bien de sortir de soi, dans son essence, ce que précisément il n'est pas de mot pour dire, sinon ensuite, il faudrait plus de mots qu'il n'est de grains de sable le long des mers. (199)
>
> » ... en usant des mots qui sont les mêmes, te construire des pièges différents... » (200)

L'épargne des vocables postule et coïncide avec le recours à l'image. Mais l'image qui a servi à saisir et à exprimer une notion intime, tend à devenir, du même coup, un signe réutilisable et conventionnel (le symbole). L'écrivain se constitue ainsi un répertoire de symboles qui, comme nous l'avons montré plus haut, risquent de se charger de trop de sens pour que le lecteur puisse encore en subir les effets de magie.

L'épargne des mots oblige également l'auteur à exploiter

au maximum les possibilités de mise en relief que lui offre le style ; elle justifie la recherche syntaxique dont Saint-Exupéry suggérait l'ampleur en ces termes :

« ... Mais le jeu de mes incidentes et les inflexions de mes verbes, et le souffle de mes périodes et l'action sur les compléments, et les échos et les retours, toute cette danse que tu danseras et qui, une fois dansée, aura charrié en l'autre ce que tu prétendais transmettre, ou saisi dans ton livre ce que tu prétendais saisir. (201)

» Enseigne donc d'abord à ta brute la grammaire et l'usage des verbes. Et des compléments. Apprends-lui à agir avant de lui confier sur quoi agir. » (202)

Pour terminer ce chapitre de l'Art Poétique de Saint-Exupéry, nous voudrions aborder maintenant le problème de l'œuvre poétique elle-même. C'est à l'œuvre que tout aboutit ; c'est contre elle que le poète s'échange, avec tous les moyens dont il dispose pour exprimer son élan créateur.

Le poème.

L'œuvre naît de la réconciliation, dans le poète, de deux démarches contradictoires. La première est lyrique, dans son essence ; elle force le poète à obéir aux injonctions de la poussée créatrice. La seconde est « classique » ; elle oblige le poète à diriger cet élan en le soumettant à l'effort et aux règles.

Saint-Exupéry réconcilie les concepts opposés de liberté et de contrainte. Au point de départ de l'œuvre artistique, il pose le principe de la contrainte qui délivre : « Ainsi ma liberté n'est que l'usage des fruits de ma contrainte qui a seul pouvoir de fonder quelque chose qui mérite d'être délivré. » (203) Il réunit ainsi dans une même opération les deux actions essentiellement distinctes de « créer » et de « corriger ». Voici comment le chef de *Citadelle* relate les circonstances au cours desquelles son père lui a inculqué ce précepte :

« — J'ai écrit mon poème. Il me reste à le corriger.

» Mon père s'irrita :

» — Tu écris ton poème après quoi tu le corrigeras ! Qu'est-ce qu'écrire sinon corriger ! Qu'est-ce que sculpter sinon corriger ! As-tu vu pétrir la glaise ? De correction en correction sort le visage, et le premier coup de pouce déjà était une correction au bloc de glaise. Quand je fonde ma ville je corrige le sable. Puis corrige ma ville. Et de correction en correction, je marche vers Dieu. » (204)

Le langage est cette « matière même dont tu dois faire usage », mais qui « résiste ». (205) Il est, dans une large mesure, ce qui s'oppose à la vocation qui « pèse » (206) dans le créateur, et lui permet ainsi de libérer cette vocation dans le poème.

Le poème ainsi conçu n'est donc pas le résultat d'un plan préétabli ; il est son propre plan, à mesure qu'il s'écrit. Pour Buffon, le plan initial du discours « circonscrit le sujet. » (207) Il « n'est pas encore le style, mais il en est la base. » (208) Il précède le style et permet à l'auteur de choisir et de fixer l'essentiel de son sujet avant de « chercher l'ordre » (209) dans lequel les pensées se succéderont.

Selon Saint-Exupéry, « le plan est la conséquence de l'existence forte et non sa cause » (210) ; « L'ordre est le signe de l'existence et non sa cause. De même que le plan du poème est signe qu'il est achevé et marque de sa perfection. Ce n'est point au nom d'un plan que tu travailles, mais pour l'obtenir... » (211)

Le poème est aussi l'objet d'une mue constante ; il se métamorphose. C'est le temps qui le fait devenir, tout comme c'est le temps qui « répare le désir, habille la fleur ou mûrit le fruit. » (212) S'il faut du temps au créateur pour écrire son œuvre, il en faut également au lecteur pour en saisir le message : « Car ceux-là ne savent point attendre et ne comprendront aucun poème, car leur est ennemi le temps... » (213)

Saint-Exupéry s'est fort préoccupé d'imaginer ce que pourrait être un « poème parfait » ; il y a fait allusion, notamment, dans cette définition : « Un poème parfait qui résiderait dans les actes et sollicitant tout, jusqu'à tes muscles, de toi-même. Tel est mon cérémonial. » (214)

Agir et faire agir : tel est le but ultime du poème.

Certes, Saint-Exupéry n'avait jamais cessé de proclamer

la nécessité de l'acte ; tous ses récits mettent en valeur les différents aspects de l'engagement. Mais ici, dans le poème parfait, il est question de bien autre chose que de grande action aventureuse ou même d'engagement de la personne ; il s'agit d'une identification absolue de la pensée avec l'acte, et d'une réincarnation de la parole : « Je ne puis qu'essayer sur toi mon domaine. Et c'est pourquoi je crois aux actes. Car m'ont toujours semblé puérils ou aveugles ceux qui distinguent la pensée de l'action. » (215) ; « N'oublie pas que ta phrase est un acte. Il ne s'agit point d'argumenter si tu désires me faire agir. » (216)

Ce poème parfait, idéal, qui rendrait à la Parole sa pleine efficacité, serait-il une nouvelle Révélation ? Le Livre des Livres ? Saint-Exupéry n'a pas précisé sa pensée dans ce domaine comme l'ont fait certains des prédécesseurs qu'il admirait. Il s'est contenté, lui, de marquer la distance qui sépare le poème du Poème et d'opposer ce qui est à ce qui serait :

> « Faibles échos, ébauches de mouvement, que je noue en toi par les mots doués de pouvoir. J'invente le jeu des galères. Tu y veux bien entrer et courber un peu les épaules.
>
> » ... L'écriture a été de t'y convertir en te faisant faiblement te connaître ainsi devenu, et espérer.
>
> » ... Mais je ne prétends pas te régir pour chaque heure. » (217)

De tels passages peuvent avoir été composés pendant des heures de doute ou de découragement ; ils tranchent dans un contexte plus fervent et souvent exalté. Il est certain que Saint-Exupéry a parfois douté de l'efficacité de son œuvre et de sa profession littéraire : « Me vint le litige que je ne pouvais amener mon peuple à la lumière des vérités qu'à travers des actes, non par des mots. » (218) Mais, dans l'ensemble, *Citadelle* tend vers le poème parfait que l'auteur envisageait dans ses moments les plus enthousiastes ; l'œuvre posthume vise à énoncer une civilisation nouvelle, à guérir les hommes de leur angoisse et à les régir en les tournant vers un autre Dieu. Le poème de Saint-Exupéry s'efforce d'autant plus vers le poème parfait, qu'il coïncide exactement, dans sa structure, avec la civilisation esthétique qu'il propose. L'auteur construit son poème en même temps qu'il bâtit son empire culturel ; le chef de *Citadelle* essaie les mots qu'il invente sur un peuple de sa création qui est chargé d'en vérifier le pouvoir. Dans ce sens, *Citadelle* lie la parole à l'acte, comme le *Nouveau Testament* unit l'*Evangile* aux *Actes* des apôtres.

En dernière analyse, quels sont les critères de la perfection vers laquelle tend le poème ? En d'autres termes, quels sont les caractères qui font reconnaître la beauté de la civilisation nouvelle que fonde ce poème ? Nous en dégageons trois qui, dans le vocabulaire critique de l'auteur, déterminent une perfection inaccessible, attendu qu'elle est soumise, elle-même, à la loi du devenir : le goût, la ferveur et le pathétique.

Le *goût* est une faculté innée qui permet de porter un jugement sur la qualité des hommes et des choses ; il aide à discerner les êtres nobles des êtres bas, les objets beaux des objets vulgaires. Il substitue un point de vue esthétique au critère moral. Il permet de distinguer la saveur que les choses ont en soi. Saint-Exupéry a fait intervenir ce critère dans tous ses récits d'aviation. Dans *Citadelle*, il creuse la signification du terme et l'analyse.

L'auteur se pose d'abord la question de savoir s'il est possible d'accroître la beauté des objets d'art que façonne son peuple :

> « Cependant il me vint le problème de la saveur des choses. Et ceux de ce campement-ci fabriquaient des poteries qui étaient belles. Et ceux de cet autre, qui étaient laides. Et je comprenais avec évidence qu'il n'était point de loi formulable pour embellir les poteries. Ni par dépense pour l'apprentissage, ni par concours et honneurs. Et même je remarquais que ceux-là qui travaillaient au nom d'une ambition autre que la qualité de l'objet, et même s'ils consacraient leurs nuits à leur travail, aboutissaient à des objets prétentieux et vulgaires et compliqués... » (219)

Plus loin, Saint-Exupéry confirme le caractère arbitraire et indéfinissable du goût ; il renonce à l'expliquer autrement que comme un penchant et un mode instinctif de la connaissance :

« Pareillement je sais qu'une chose est belle, mais je refuse la beauté comme but. As-tu entendu le sculpteur te dire : *De cette pierre je dégagerai la beauté ?* Ceux-là se dupent de lyrisme creux qui sont sculpteurs de pacotille. L'autre, le véritable, tu l'entendras te dire : *Je cherche à tirer de la pierre quelque chose qui ressemble à ce qui pèse en moi* (...) Car la beauté non plus n'est point un but mais une récompense. » (220)

Parfois, l'auteur s'impatiente et s'élève contre une conception du goût qui compromet la création artistique plus qu'elle n'en détermine la qualité ; le goût ne peut pas être un obstacle à la création et la ferveur lui paraît en être un plus sûr garant :

« N'invente point d'empire où tout soit parfait. Car le bon goût est vertu de gardien de musée. Et si tu méprises le mauvais goût tu n'auras ni peinture, ni danse, ni palais, ni jardins. Tu auras fait le dégoûté par crainte du travail malpropre de la terre. Tu en seras privé par le vide de ta perfection. Invente un empire où simplement tout soit fervent. » (221)

Plus que le goût, sans doute, *la ferveur* est le signe auquel on reconnaît l'élan créateur qui traverse les individus et les collectivités. La ferveur permet de mettre à profit la laideur et le mauvais goût inhérents à toute civilisation. Elle élimine les notions relatives de choix et de refus que le goût fait intervenir. La ferveur porte en elle-même sa propre perfection. Si elle tombe, c'est le signe d'une création impossible : « Quand ta ferveur s'éteint tu fais durer l'empire avec tes gendarmes. Mais si les gendarmes seuls le peuvent sauver c'est que l'empire est déjà mort. » (222)

Mais plus encore que le goût et la ferveur, avec lesquels il s'apparente d'ailleurs, *le pathétique* est le critère esthétique dont Saint-Exupéry se sert pour déterminer son idéal. De plus, c'est dans ce mot et par ce mot, croyons-nous, que Saint-Exupéry a défini la qualité particulière de son lyrisme.

Que signifie ce vocable dans le langage de l'écrivain ?

Vers 1939, au moment de *Terre des Hommes* et de la préface au *Vent se lève,* l'auteur se met à utiliser ce terme fréquemment et à en préciser la signification. Dans la préface du roman d'Anne Lindbergh, Saint-Exupéry laisse entendre que le mythe est peut-être à l'origine du pathétique :

« ... elle ne s'est pas trompée sur le pathétique de l'avion. Il ne réside pas dans les nuages dorés du soir. Les nuages dorés, c'est de la pacotille. Mais il peut résider dans l'usage du tournevis, quand on prépare sur la planche de bord, parmi la belle ordonnance des cadrans, un vide noir de dent cassée. Mais il ne faut pas s'y tromper : si l'auteur a eu le pouvoir de faire ressentir cette mélancolie, aussi bien par le profane que par le pilote de métier, c'est qu'à travers ce pathétique professionnel elle a rejoint un pathétique plus général. Elle a retrouvé le vieux mythe du sacrifice qui délivre. » (223)

Dans *Terre des Hommes* l'auteur étend la signification du mot : « Il n'y a que le social qui soit pathétique. » (224) *Pilote de Guerre* contient cette définition du terme : « Le pathétique, c'est le sentiment de l'étendue. » (225) Mais il s'empresse d'insister sur la relativité de l'étendue : « D'où vient que, si je suis Pasteur, le jeu des infusoires eux-mêmes pourra me devenir pathétique au point qu'une lamelle de microscope m'apparaîtra comme un territoire autrement vaste que la forêt vierge, et me permettra de vivre, penché sur elle, la plus haute forme d'aventure ? » (226)

Dans *Citadelle*, Saint-Exupéry ajoute aux précédentes une notion importante : le pathétique communique une ferveur qui ressemble à l'amour et qui devient l'amour : « Mais réussissant pour quelques-uns, je leur suis tellement pathétique que l'âme leur brûle. Car il est des structures si chaudes qu'elles sont comme un feu pour les âmes. Ceux-là je les dirais embrasés par l'amour. » (227)

Il semble bien que Saint-Exupéry ait voulu dire : une vérité est pathétique quand elle transporte un symbole mythique (universel), collectif, qui est susceptible non seulement d'émouvoir les hommes, mais aussi de les exalter à s'accomplir. Est pathétique, le poème qui, en dehors des voies de la logique, fait retentir les échos de cette vérité élémentaire et communique à une génération le pouvoir et l'enthousiasme de transmettre à son tour l'héritage libérateur : « Si je t'éveille à quelque sentiment pathétique tu le transporteras de génération en génération. Tu enseigneras tes enfants à lire ce visage (...) Tu mourras pour le sens du livre non pour l'encre ni le papier. » (228)

Le pathétique, en définitive, est le critère de l'évolution aussi bien qu'un critère de la beauté ; c'est lui qui rattache l'effort actuel à celui du passé, conservé dans le mythe, et à celui de l'avenir, entrevu dans la renaissance du mythe. *

L'état d'inachèvement du poème posthume de Saint-Exupéry nous laisse difficilement deviner l'ampleur exceptionnelle du rêve qu'il traduit. Ce songe sévère, né de la solitude et tourné vers l'humanité, est d'autant plus émouvant que son auteur a souffert de ne le pouvoir partager avec personne. Quel est son destin, maintenant qu'il circule par le monde sous la forme des milliers d'exemplaires qu'on en a tirés ?

Aux yeux d'un certain public, la publication de *Citadelle* a nui aux autres ouvrages de l'aviateur ; elle a suscité des déceptions et des regrets. Nous sommes personnellement de ceux qui croient fermement qu'il vaut mieux tout dire et tout publier, y compris les documents dont on sait qu'ils courent le risque de subir un échec littéraire. *Citadelle* est un texte littéraire inappréciable. Saint-Exupéry a tenté d'y redéfinir la littérature à partir du dessein culturel qui seul, à ses yeux, la justifie et la rend agissante. S'il a consacré tant de pages à méditer sur la mission du poète, sur la fonction de l'image et du langage, et sur la qualité du poème, c'est moins pour « prendre conscience » des moyens dont il disposait pour agir sur les hommes, que pour en faire un usage immédiat sur lui-même et sur le peuple fictif de sa civilisation idéale. S'il a écrit ce que nous avons appelé son Art Poétique, c'est moins

* cf. notre développement du problème du mythe, au chap. III.

pour énoncer de belles théories que pour les vérifier, à mesure qu'il les formulait, sur lui-même d'abord — en les vivant — et sur le livre contre lequel il s'est échangé tout entier.

« C'est peu de dire que Saint-Exupéry adhère à ce qu'il écrit. S'il adhère à sa vérité, c'est parce qu'il croit à son sens universel, non point parce qu'elle est adaptée à lui-même. Il y a là le son d'un *désintéressement* absolu qui n'a sans doute pas dans la littérature d'aujourd'hui un autre exemple qui lui soit comparable. »

(Gaëtan Picon) (229).

NOTES EXPLICATIVES.

Chapitre deuxième.

1. *Œuvres complètes,* p. 381.
2. Ibid., p. 123.
3. Id.
4. Ibid., p. 102.
5. Ibid., p. 101.
6. Ibid., p. 107.
7. Ibid., p. 149.
8. Id.
9. Ibid., pp. 559-560.
10. Ibid., p. 856.
11. Ibid., par ex., p. 552.
12. Ibid., p. 519.
13. Ibid., p. 579.
14. Ibid., p. 496.
15. Id.
16. Ibid., p. 513.
17. Ibid., p. 514.
18. Ibid., p. 513.
19. Ibid., p. 514.
20. Ibid., p. 513.
21. Ibid., p. 659.
22. Ibid., p. 514.
23. Id.
24. Id.
25. Ibid., pp. 818-820.
26. Id.
27. Id.
28. Pélissier, *Les Cinq Visages de Saint-Exupéry,* p. 66 : « Il avait pour les quintessences de Mallarmé une curiosité émerveillée. »
29. Id. « Je fus très surpris, fréquentant ses divers domiciles, de découvrir que sa bibliothèque était réduite à quelques livres : le *Pascal* et le *Descartes* de la Pléiade, un *Baudelaire,* un *Rimbaud,* un *Villon,* les livres d'Eddington, le *Procès de Jeanne d'Arc* par Champion... »
30. N.B. Dans sa préface au roman d'Anne Lindbergh, Saint-Exupéry a montré qu'il se souciait beaucoup de tous les documents littéraires qui ont trait à l'aviation. A-t-il estimé que Jean Cocteau, par exemple, desservait l'aviation et la littérature, quand il célébrait, à sa manière, les exploits de Roland Garros ? cf. *Poésies,* Jean Cocteau, Paris, 1925 : les poèmes groupés sous le titre *Le Cap de Bonne-Espérance* (pp. 7-139) sont dédiés à Roland Garros ; *Préambule* en fait partie.
31. Guillaume Apollinaire, *L'Esprit Nouveau,* Paris, 1946 ; pp. 17-21 : « La surprise est le grand res-

sort de l'esprit nouveau (...) Les poètes (...) sont encore et surtout les hommes du vrai, en tant qu'il permet de pénétrer dans l'inconnu, si bien que la surprise, l'inattendu, est un des principaux ressorts de la poésie d'aujourd'hui. »

32. Cocteau, *Poésies*, Paris, 1925, p. 27 : « Je ne prémédite aucune architecture ».

33. André Breton, *Manifeste du Surréalisme*, Paris, 1924, p. 48 : « Ecrivez vite, sans sujet préconçu (...) c'est en cela que réside, pour la plus grande part, l'intérêt du jeu surréaliste. » ; p. 60 (l'image) : « Pour moi, la plus forte est celle qui présente le degré d'arbitraire le plus élevé. »

34. *O.C.*, p. 903.

35. Id.

36. Id.

37. N.B. Nous préciserons ce qu'il faut entendre par cette expression quand il sera question de l'image poétique, dans ce chapitre, et dans la dernière partie de cette étude, quand nous envisagerons l'apport du métier.

38. *O.C.*, p. 866.

39. Ibid., p. 882.

40. Ibid., p. 712.

41. Ibid., p. 815.

42. Id.

43. Id.

44. Ibid., p. 819.

45. Ibid., p. 903.

46. Ibid., p. 918.

47. N.B. Le texte de cette lettre a été publié par Benjamin Crémieux dans les *Annales Politiques et Littéraires*, 15 décembre 1931, n° 2396, p. 554.

48. Breton, *Manifeste*, p. 58.

49. Id.

50. Ibid., p. 60.

51. *Confluences*, p. 42 : « Nous réfléchissions à tout cela (...) Saint-Exupéry avait des idées justes et neuves sur presque tout (...) les balbutiements du surréalisme, les rêves et la psychanalyse, les ballets russes comme synthèse de la vie qui meurt... » (Léon-Paul Fargue) ; cf. les allusions à André Breton, dans les *Carnets*, pp. 43,74.

52. *O.C.*, p. 51.

53. Ibid., p. 53.

54. Ibid., p. 76.

55. Ibid., p. 250.

56. Ibid., p. 263.

57. Ibid., p. 176.

58. Ibid., p. 255.

59. Ibid., p. 280.

60. Ibid., pp. 313,325.

61. Breton, *Manifeste*, p. 60.

62. Id.

63. *O.C.*, p. 903.

64. Ibid., pp. 880-881.

65. *Confluences*, p. 162 ; cf. texte très semblable dans les *Carnets*, p. 148.

66. *O.C.*, p. 751.

67. Id.

68. Ibid., p. 729.

69. Ibid., p. 723.

70. Ibid., p. 447.

71. Ibid., p. 729.

72. Ibid., p. 730.

73. Ibid., p. 608.

74. Ibid., p. 607.

75. Ibid., p. 482.

76. Ibid., p. 447.

77. Baudelaire, *Œuvres Complètes*, p. 524.

78. *Confluences*, p. 51.

79. *O.C.*, p. 27.

80. Ibid., p. 138.

81. Ibid., p. 195.

82. Ibid., pp. 325-326.

83. Ibid., p. 351.

84. Ibid., p. 409.

85. Ibid., p. 928.

86. Ibid., pp. 354-355.

87. Ibid., p. 325.

88. Ibid., p. 328.

89. Ibid., p. 277.

90. Ibid., p. 355.

91. Ibid., p. 11.

92. Ibid., p. 21.

93. Ibid., pp. 70-72.
94. Ibid., p. 44.
95. Id.
96. Ibid., p. 189.
97. Ibid., pp. 190-191.
98. Pélissier, *Les Cinq Visages...*, pp. 100-101.
99. *O.C.*, pp. 888,890 ; cf. Chap. CCV, pp. 887-890.
100. Ibid., p. 916.
101. Ibid., p. 441.
102. Ibid., p. 443.
103. Ibid., p. 449.
104. Id.
105. Ibid., p. 389.
106. Ibid., p. 690.
107. Ibid., p. 670.
108. Ibid., p. 472.
109. Ibid., p. 648.
110. Ibid., pp. 53-55.
111. cf. Ibid., p. 1019 : « Si alors un enfant vient à vous (...) Ne me laissez pas tellement triste : écrivez-moi vite qu'il est revenu... »
112. Ibid., p. 482.
113. Ibid., p. 802.
114. Ibid., p. 823.
115. Ibid., p. 925.
116. Ibid., p. 70.
117. *O.C.*, p. 138.
118. Ibid., p. 901.
119. cf. Pélissier, *Les Cinq Visages...*, p. 14 (Accident de Saint-Raphaël) ; Chevrier, *Saint-Exupéry*, p. 109.
120. *O.C.*, p 236.
121. Ibid., pp. 305-306.
122. Ibid., p. 433.
123. Ibid., p. 30.
124. Ibid., p. 87.
125. Ibid., p. 120.
126. Ibid., p. 762.
127. Ibid., p. 154.
128. Ibid., p. 162.
129. Ibid., p. 73.
130. Ibid., pp. 27, 71, etc.
131. Ibid., p. 74.
132. Id.
133. Ibid., p. 355.
134. Ibid., p. 274.
135. Ibid., p. 137 (cf. pp. 222, 241) ; cf. *Mille et une Nuits*, « Ali Baba et les quarante voleurs... », trad. Galland, éd. A. Desrez, Paris, 1840, p. 570.
136. *O.C.*, p. 193.
137. Ibid., p. 355.
138. Ibid., p. 999.
139. Ibid., p. 71.
140. Ibid., p. 1002.
141. Ibid., p. 72.
142. Ibid., p. 78.
143. Ibid., p. 27.
144. Ibid., p. 824.
145. Id.
146. Ibid., p. 825.
147. Ibid., p. 925.
148. Ibid., p. 512.
149. Ibid., p. 88.
150. Ibid., p. 195.
151. Ibid., p. 248.
152. Ibid., p. 94.
153. Ibid., p. 49.
154. Ibid., p. 1002.
155. Ibid., p. 35.
156. Ibid., p. 49.
157. Ibid., p. 66.
158. Ibid., p. 442.
159. Ibid., p. 828.
160. Ibid., p. 141.
161. Ibid., p. 149.
162. Ibid., p. 181.
163. Denis de Rougemont, *Penser avec les Mains*, Paris, 1936, p. 22.
164. André Malraux, *La Tentation de l'Occident*, Paris, 1926, p. 135.
165. Georges Bernanos, *Journal d'un Curé de Campagne*, Paris, 1936, p. 76.
166. *O.C.*, p. 393.
167. Id.
168. Ibid., p. 380.
169. Ibid., p. 284.
170. Ibid., p. 446.
171. Ibid., p. 481.
172. Id.
173. Id.
174. Ibid., pp. 391-392.
175. Ibid., p. 484.

176. Ibid., p. 582.
177. Ibid., p. 525.
178. Ibid., p. 511.
179. Ibid., p. 539.
180. Id.
181. Ibid., p. 509.
182. Id.
183. Ibid., p. 446.
184. Ibid., p. 474.
185. Ibid., p. 446.
186. Ibid , p. 636.
187. Ibid., p. 632.
188. Paul Claudel, *Art Poétique*, Paris, 1915, p. 33 : « Le temps est le SENS de la vie. (SENS : comme on dit le sens d'un cours d'eau...) ».
189. *O.C.*, p. 635.
190 Ibid., p. 607.
191. Ibid., p. 571.
192. Ibid., p. 629.
193. Ibid., pp. 784-785.
194. Chevrier, *Saint-Exupéry*, pp. 181-188.
195. *O.C.*, p. 633.
196. Ibid., p. 630.
197. Ibid., p. 727.
198. Ibid., p. 849.
199. Ibid., p. 632.
200. Ibid., p. 752.
201. Id.
202. Ibid., p. 753.
203. Ibid., p. 660.
204. Ibid., p. 722.
205. Ibid., p. 578.
206. Ibid., p. 579.
207. Buffon, *Discours sur le style*, Paris, 1926, pp. 11-12.
208. Id.
209. Id.
210. Chevrier, *Saint-Exupéry*, p. 161. Chevrier n'indique pas sa source ; nous la trouvons dans les *Carnets*, pp. 134-135.
211. *O.C.*, pp. 592-593.
212. Ibid., p. 826.
213. Id.
214. Ibid., p. 849.
215. Ibid., p. 700.
216. Ibid., p. 731.
217. Ibid., p. 849.
218. Ibid., p. 817.
219. Ibid., p. 593.
220. Ibid., p. 624 ; cf. p. 758.
221. Ibid., p. 468.
222. Ibid., p. 703.
223. *Confluences*, p. 197.
224. *O.C.*, pp. 237-238.
225. Ibid., p. 328.
226. Ibid., p. 325.
227. Ibid., p. 665.
228. Ibid., p. 847.
229. Gaëtan Picon, *Panorama de la Nouvelle Littérature Française*, 1949, p. 68.

CHAPITRE TROISIÈME

« Si tu juges mon œuvre, je souhaite que tu m'en parles sans m'interposer dans ton jugement. Car si je sculpte un visage, je m'échange en lui et je le sers. Et ce n'est point lui qui me sert. Et en effet j'accepte jusqu'au risque de mort pour achever ma création.

» Donc ne ménage point tes critiques par crainte de me blesser dans ma vanité car il n'est point en moi de vanité. La vanité n'a point de sens pour moi puisqu'il s'agit non de moi mais de ce visage.

» Mais s'il se trouve que ce visage t'a changé, ayant transporté en toi quelque chose, ne ménage point non plus tes témoignages par crainte d'offenser ma modestie. Car il n'est point en moi de modestie. Il s'agissait d'un tir dont le sens nous domine mais auquel il est bon que nous collaborions. Moi comme flèche, toi comme cible. »

(*Citadelle*, p. 717).

Nous voudrions maintenant nous tourner tout spécialement vers les œuvres qui furent publiées du vivant de Saint-Exupéry. A des degrés divers et de multiples façons, ces livres préfigurent ou illustrent les préceptes théoriques que nous avons dégagés de *Citadelle*. Il nous incombera de faire voir les aspects les plus marquants de cette cohésion et de cette conformité internes qui unissent les ouvrages parus quand l'écrivain était encore parmi nous, et son testament poétique. Toutefois, il est bien évident que tous les principes de l'Art

Poétique n'ont pas trouvé leur application dans les autres livres ; d'autre part, et cela va de soi, Saint-Exupéry n'a pas dévoilé, dans *Citadelle,* tous les ressorts de son art. Il nous faudra donc continuer à analyser la technique du narrateur, en nous souvenant des influences qu'il a accueillies et des théories qu'il a formulées, mais sans négliger de mettre en relief tous les éléments nouveaux que les documents successifs nous communiqueront.

D'autre part, il nous semble qu'il n'est pas trop tôt pour tenter de souligner les caractéristiques essentielles du romancier-aviateur dans la mesure où elles constituent une réelle contribution de l'auteur à la littérature du siècle. Nous mettrons donc cet apport en relation avec certains courants littéraires contemporains. Et nous envisagerons successivement : l'importance du métier dans l'art de l'écrivain ; les propriétés de son style ; les défauts et les qualités de ses personnages ; sa formule du document littéraire.

Le métier.

On prête à Antoine de Saint-Exupéry une déclaration qu'il a faite en ces termes : « Ce n'est pas l'avion qui m'a amené au livre. Je pense que si j'avais été mineur, j'aurais cherché à puiser un enseignement sous la terre. » (1)

Que ce ne soit pas l'aventure aérienne qui ait suscité la vocation du romancier, nul ne s'avisera de le nier. Cependant, si l'avion n'a pas fait naître l'œuvre littéraire, il a fortement contribué à en déterminer la nature et la qualité particulières, et à en favoriser la réussite. Quel est donc l'apport du métier aux œuvres narratives ?

Tout d'abord, il faut citer un principe général que l'auteur a rappelé dans chacun de ses récits, et dont nous devons tenir compte : Saint-Exupéry a toujours considéré l'avion comme un moyen et non comme une fin. Ce principe s'applique indistinctement au pilote qui transportait le courrier d'Afrique et à l'écrivain qui enregistrait cet événement pour en faire un roman. C'est ce même principe qui régissait l'image poétique, le langage ou le style.

Le Bernis de *Courrier-Sud*, le plus hésitant (parce que le plus compliqué) des héros de Saint-Exupéry, mais aussi le plus riche en intuitions grandioses, cherchait déjà dans l'action aérienne un trésor qu'il définissait mal, et vers lequel il se dirigeait comme un sourcier. L'avion était déjà, pour lui, un outil du devenir. Rivière et ses subalternes de *Vol de Nuit* travaillaient à sauver, par l'aviation, la part durable de l'homme : « Sinon l'action ne se justifie pas ». [2] Dans *Terre des Hommes*, l'auteur affirmait, sans le truchement de personnages fictifs : « L'avion n'est pas un but. C'est un outil. Un outil comme la charrue. » [3] Témoignage tout aussi important, ce que Saint-Exupéry admirait chez Anne Lindbergh, l'aviatrice-écrivain, c'était qu'elle sût utiliser l'avion comme un moyen de création littéraire : « Elle n'écrit pas sur l'avion, mais par l'avion. » [4]

Ce critère dont Saint-Exupéry se servait pour caractériser l'œuvre d'autrui, est-il applicable à ses propres écrits ?

Ecrire par l'avion, c'est faire de l'avion un moyen de connaissance et un procédé d'expression.

On ne songera pas à minimiser l'importance de l'avion moderne aux yeux de quiconque l'envisage comme un instrument de connaissance. Saint-Exupéry nous aide à évaluer l'influence que l'avion peut exercer sur les facultés du pilote et, en particulier, sur sa vie psychique. Il nous a laissé des textes qui mettent en lumière sa conception personnelle du rêve ; il nous a fait savoir ce qu'il entendait par « la chair qui pense ».

L'auteur de *Citadelle* avait désavoué les rêveries qui ne répondaient qu'à un désir d'évasion ; de plus, il s'était prononcé contre les adjuvants du rêve artificiel : « Ainsi du fumeur de haschisch qui se procure pour quelques sous des ivresses de créateur. » [5] Il avait condamné « la pourriture du rêve ». Or, ce que lui, l'homme d'action, trouve dans l'avion, c'est précisément une ivresse. D'où provient cette ivresse ? Quelle en est la nature ? Quels en sont les effets sur le pilote, à quels éléments de la connaissance ces effets correspondent-ils ?

Le point de départ de l'ivresse du vol se situe dans une sensation physique d'appartenance, d'identification complète avec l'appareil. Le pilote d'un avion rapide qui évolue à l'altitude dépend, physiquement, de sa machine et de ses instruments, tout autant qu'il les gouverne. Une communauté organique, indissoluble, s'établit entre l'aviateur et ses appareils respiratoires, en particulier : « La respiration, je la prends dans ce masque. Un tube en caoutchouc me relie à l'avion, tout aussi essentiel que le cordon ombilical. L'avion entre en circuit dans la température de mon sang. On m'a ajouté des organes qui s'interposent, en quelque sorte, entre moi et mon cœur. » (6)

Saint-Exupéry s'est appliqué à bien montrer que l'aviateur aux commandes, ne faisant qu'un avec son appareil, est autre que le pilote au repos, sur la terre ferme, avec ses gestes lourds et maladroits. Il a surtout essayé de décrire les manifestations psychiques de l'action aérienne. Ici, il a dit : « Bernis entre dans la tempête (...) Bernis n'a plus que des pensées rudimentaires, les pensées qui dirigent l'action. » (7) Là, il a parlé de « l'ivresse de l'action ». (8) Là encore, comme insatisfait de cette dernière expression, il a précisé : « Une fois de plus, le pilote n'éprouvait en vol, ni vertige, ni ivresse, mais le travail mystérieux d'une chair vivante. » (9) Ailleurs, il a évoqué le don et la transmission à l'aviateur d'un étrange pouvoir, par la « magie du métier ». (10) Ailleurs encore, comme résigné à ne pas pouvoir traduire les sensations mystérieuses qu'il éprouvait : « ... et commença cette profonde méditation du vol, où l'on savoure une espérance inexplicable. » (11)

Nous avons signalé au chapitre précédent le rôle que Saint-Exupéry assignait à « la chair », dans le jaillissement des images : « ... l'action l'empêche de choisir ses mots et (...)

il laisse sa chair penser (...) pas dans un vocabulaire technique, mais en dehors des mots, en symboles. Il les oublie ensuite comme au sortir d'un rêve... » [12]

Ces témoignages directs de l'auteur nous paraissent décisifs : à des degrés variés, la participation à l'action aérienne réduit les facultés rationnelles du pilote et intensifie ses aptitudes intuitives. L'aviateur subit, sans l'avoir requise ou même souhaitée, une forme du rêve que, pour les besoins de l'analyse, nous appellerons : le rêve de l'action.

Les personnages fictifs ou authentiques des récits de Saint-Exupéry confirment tous, dans leurs attitudes et dans leurs gestes, les témoignages directs cités plus haut. Bernis connaît l'ivresse de l'action ; au gouvernail, il est emporté par des images auxquelles il ne peut que « céder », et il se souvient de son enfance. Rivière le dur, le positif, est à certains moments « absorbé dans son rêve ». [13] Il est guidé par une intuition puissante qui le fait « peser » dans des directions qu'il pressent. Le narrateur de *Pilote de Guerre* rêve, lui aussi, à la manière de Jacques Bernis ; il s' « enfonce plus loin dans le rêve. » [14] Au fil des sensations physiques et des associations d'idées les plus spontanées, Saint-Exupéry remonte la pente du souvenir et reconstitue son enfance ; il évoque les jeux et les contes de fées les plus lointains. A la limite des possibilités de la mémoire, il saisit parfois une réminiscence tellement vague qu'il en dit : « Mais ce n'est même pas un souvenir ; c'est le souvenir d'un souvenir. » [15] A d'autres moments, il cesse de se souvenir et succombe à des rêveries fertiles en images : « Fil de la Vierge me fait rêver. Il me vient une image (...) La trop jolie femme rate son virage. » [16] On relèverait par centaines, les allusions au rêve dont Saint-Exupéry a jalonné ses documents littéraires.

Quels sont les effets du rêve de l'action ?

Ce rêve agit d'abord sur la chair et par la chair, dont il augmente la sensibilité. Le pilote éprouve « le travail mystérieux » de sa « chair vivante ». [17] Cet accroissement de la sensibilité de la chair fait naître des images dont l'aviateur se sert pour traduire certains phénomènes de mue organique : « En avion, chaque demi-heure, nous changions de climat : changions de chair. » (18) D'une sensation inexplicable de l'ivresse du danger, Saint-Exupéry dit ailleurs : « Il ne reste de cette seconde qu'un goût dans la bouche, une aigreur de la chair. » (19)

Pour le pilote qui éprouve cette sensation d'une densité accrue de sa chair, certaines parties du corps deviennent essentielles et prennent des proportions extraordinaires à ses yeux. C'est comme si seules comptaient, pour lui, les mains et les épaules. C'est elles qui constituent les véritables agents de liaison entre l'homme et son appareil. Les mains relient l'homme aux commandes ; les épaules semblent le rattacher au paysage environnant quand le pilote tourne la tête pour le consulter. « Rivière pensait à la main de Fabien (...) Cette main qui était miraculeuse » (20) ; « Et si lui-même ouvrait simplement les mains, leur vie s'en écoulerait aussitôt, comme une poussière vaine. Il tenait dans ses mains le cœur battant de son camarade et le sien. Et soudain ses mains l'effrayèrent. » (21) Quant aux épaules, c'est comme si l'aviateur s'en servait pour frôler au passage un décor cosmique qui dérive : « Puis d'être épaulé par peu de choses (...) Les premiers sommets du petit Atlas (...) il les devinait contre son épaule (...) Comme si réellement les montagnes, à sa gauche, pesaient contre lui. » (22)

Parfois, dans l'action violente, la chair n'obéit plus aux injonctions de la volonté ; c'est elle qui gouverne le pilote :

« Et voici qu'il ne sentait plus ses mains engourdies par l'effort. Il voulut remuer les doigts pour en recevoir un message : il ne sut pas s'il était obéi. Quelque chose d'étranger terminait ses bras (...) Il pensa : *Il faut m'imaginer fortement que je serre...* Il ne sut pas si la pensée atteignait ses mains. Et comme il percevait les secousses du volant aux seules douleurs des épaules : *Il m'échappera. Mes mains s'ouvriront...* Mais s'effraya de s'être permis de tels mots, car il crut sentir ses mains, cette fois, obéir à l'obscure puissance de l'image, s'ouvrir lentement, dans l'ombre, pour le livrer.

» Il aurait pu lutter encore, tenter sa chance ; il n'y a pas de fatalité extérieure. Mais il y a une fatalité intérieure : vient une minute où l'on se découvre vulnérable ; alors les fautes vous attirent comme un vertige. » (23)

Le rêve agit sur les facultés volitives et cérébrales ; il en réduit l'efficacité dans les moments où elles seraient requises. Quand les circonstances du vol sont plus normales, l'action du pilotage confère à l'aviateur une sorte d'existence rudimentaire qui se traduit parfois par des sensations de disponibilité ou de fragilité. (24) Elle plonge le pilote dans une « méditation sans secours. » (25) Si les conditions atmosphériques sont favorables, les moindres gestes du pilotage apparaissent comme des « rites essentiels ». (26) Saint-Exupéry a insisté sur cet autre aspect du rêve de l'action ; il a présenté son métier comme l'accomplissement semi-conscient d'un rituel quasi liturgique : « ... je me soumettais à mon tour aux rites sacrés du métier. » (27)

De plus, et c'est là un autre effet marquant du rêve de l'action, Saint-Exupéry met constamment en évidence ce qu'il appelle la « magie du métier ». (28) Il relate souvent les rencontres saisissantes qu'il fait dans un univers devenu fantastique :

« La lutte dans le cyclone, ça, au moins, c'est réel, c'est franc. Mais non le visage des choses, ce visage qu'elles prennent quand elles se croient seules. Il pensait : *C'est tout à fait pareil à une révolte : des visages qui pâlissent à peine, mais changent tellement !* (...)

» Il réfléchit. *Le cyclone, ce n'est rien. On sauve sa peau. Mais auparavant ! Mais cette rencontre que l'on fait !* Il pensait reconnaître, entre mille, un certain visage, et pourtant il l'avait déjà oublié. (29)

» Ainsi, lorsque Mermoz, pour la première fois, franchit l'Atlantique Sud en hydravion, il aborda, vers la tombée du jour, la région du Pot-au-Noir (...) Et quand, une heure plus tard, il se faufila sous les nuages, il déboucha dans un royaume fantastique.

» Des trombes marines se dressaient là accumulées et en apparence immobiles comme les piliers noirs d'un temple. Elles supportaient, renflées à leurs extrémités, la voûte sombre et basse de la tempête (...) Et Mermoz poursuivit sa route à travers ces ruines inhabitées (...) contournant ces piliers géants (...) vers la sortie du temple... » (30)

Dans le même ordre d'idées, Saint-Exupéry a parlé du « pouvoir » (31) mystérieux que l'avion transmet au pilote, et dont celui-ci se sert pour déchiffrer et interpréter en termes de métier, les phénomènes naturels. Ce pouvoir magique vient de l'avion et se transmet par les vibrations du volant : « Il sent l'hydravion, seconde par seconde (...) se charger de pouvoir (...) Le pilote ferme les mains sur les commandes et, peu à peu, dans ses paumes creuses, il reçoit ce pouvoir comme un don. » (32) Quelles que soient les conditions atmosphériques, ce pouvoir accorde des dons divinatoires à l'aviateur :

« Ces couleurs de la terre et du ciel, ces traces de vent sur la mer, ces nuages dorés au crépuscule, il ne les admire point, mais les médite (...) Le pilote de métier, lui aussi, déchiffre des signes de neige, des signes de brume, des signes de nuit bienheureuse. (33)

» La magie du métier m'ouvre un monde où j'affronterai, avant deux heures, les dragons noirs et les crêtes couronnées d'une chevelure d'éclairs bleus, où, la nuit venue, délivré, je lirai mon chemin dans les astres. (34)

» Il n'est pas besoin d'une nuit semblable pour faire découvrir par le pilote de ligne un sens nouveau aux vieux spectacles. » (35)

Le réel, déjà fantastique en vertu des aspects cosmiques qui s'en révèlent au pilote, est parfois l'objet d'une transfiguration qui en accroît la magie : « Je me souviens de l'une de ces heures où l'on franchit les lisières du monde réel... » (36) ; « Voici que brusquement, ce monde calme, si uni, si simple, que l'on découvre quand on émerge des nuages, prenait pour moi une valeur inconnue (...) Cette glu blanche devenait pour moi la frontière entre le réel et l'irréel, entre le connu et l'inconnaissable... » (37) Et c'est alors que l'écrivain, incapable d'exprimer ses visions, se contente de les suggérer en évoquant le merveilleux de l'enfance : « Et tout se change en livre d'images, en conte de fées un peu cruel... » (38) L'expérience des contes fantastiques est la seule qu'on ne trompe pas et qui ne déçoit pas.

Cependant, Saint-Exupéry n'a pas toujours renoncé à dépeindre la magie des spectacles dont il était témoin ; il s'est parfois efforcé de la signifier à l'aide d'images qui en précisent certains aspects.

Tout d'abord, l'aviateur a très souvent fait allusion à ce qu'il appelait ses « trois divinités élémentaires, la montagne, la mer et l'orage. » (39) Mais il semble bien que ces puissances cosmiques ne soient que les symboles d'une autre divinité, indivisible celle-là, qui se manifeste parfois dans un univers absolument étranger aux lois de la physique, dans un monde de participation mystique. A l'encontre d'innombrables déclarations du Prince de *Citadelle* qui ne retrouvait pas cette évidence, l'auteur de *Terre des Hommes* paraît avoir obtenu, aux limites de la méditation du vol, une certitude métaphysique : « Dieu, ici, se manifestait : on ne pouvait pas lui tourner le dos. » (40)

L'auteur a également enregistré et décrit des perceptions physiques d'une teneur toute spéciale. Dans *Courrier-Sud*, en particulier, il a fait intervenir la notion d'un élargissement du temps et de l'espace. Il a comparé son héros à Orphée, à un prince de légende, à un magicien et à un sorcier, vivant dans un univers dont les proportions sont dérangées comme par des effets de magie résultant d'un afflux de perceptions intenses. En voici quelques exemples :

> « Royaume de légende endormi sous les eaux, c'est là que Bernis passera cent ans en ne vieillissant que d'une heure. (41)
>
> » Je suis distrait, je rêve (...) Est-ce bien toi, Jacques Bernis, qui es ainsi hors de l'espace, hors du temps ? (42)
>
> » Le temps y devenait trop large pour le rythme de notre vie (...) Tout reste abstrait. Quand un jeune pilote se hasarde aux loopings, il verse au-dessus de sa tête, si proches soient-ils, non des obstacles durs dont le moindre l'écraserait, mais des arbres, des murs aussi fluides que dans les rêves. (43)
>
> » Bernis regarde cette montre par quoi s'opère un tel miracle. Puis le compte-tours immobile. Si cette aiguille lâche son chiffre, si la panne livre l'homme au sable, le temps et les distances prendront un sens nouveau qu'il ne conçoit même pas. Il voyage dans une quatrième dimension. » (44)

Cette étrange notion de l'élargissement du temps et de l'espace, que procure l'ivresse de l'action, nous la relisons (est-ce une coïncidence ?) chez le Baudelaire des *Paradis*

Artificiels, où elle apparaît comme l'un des effets principaux de la drogue. *

Qu'il ait ou non, mis à profit certaines conclusions des recherches oniriques du poète, Saint-Exupéry rejoint ici la pensée de Baudelaire ; il a d'ailleurs dû faire personnellement des expériences intéressantes dans le domaine du rêve « naturel » qui surprend les pilotes dans l'action aérienne. Lui qui savait «bien que le champ de la conscience est minuscule» (45) et qui disait : « mon rempart c'est le pouvoir qui organise ses provisions souterraines et les amène à la conscience » (46), il ne s'est pas contenté d'assimiler des considérations théoriques sur les travaux de la psychanalyse (47) ; il s'est livré, par le métier qu'il exerçait, à certaines expériences psychiques dont il était, tout à la fois, l'objet et le sujet, lorsqu'il voyageait « dans une quatrième dimension ». Cela est d'autant plus certain que Saint-Exupéry a pratiqué des expériences fort semblables sur des familiers et des amis. M. Pélissier a consacré un chapitre de son livre sur l'aviateur, au *Magicien* qu'il était aussi et à sa curiosité insatiable en matière de psychologie et de psychanalyse. Le biographe y confirme les déclarations de plusieurs

* Notre citation 41 : cf. Baudelaire, *Poème du Haschisch,* p. 448 : « Car les proportions du temps et de l'être sont complètement dérangées par la multitude et l'intensité des sensations et des idées. On dirait qu'on vit plusieurs vies d'homme en l'espace d'une heure. »

cf. Ibid., p. 459 : « Je crois avoir suffisamment parlé de l'accroissement monstrueux du temps et de l'espace, deux idées toujours connexes... »

Que l'on compare aussi les notations symboliques des rêves de Bernis et celles des rêves de Baudelaire, dans le même texte :

Courrier-Sud, p. 74 : « Royaume de légende endormi sous les eaux (...) cette fuite (...) qui vous ramène vers le monde depuis Orphée, depuis la Belle au bois dormant (...) comme en un rêve, à une distance infranchissable... », etc.

Poème du Haschisch, p. 451 : « Je rêvai de Belle au bois dormant... » ; p. 456 : « ... des Orphées vainqueurs de l'Enfer. »

Un mangeur d'Opium, p. 510 : « Mais bientôt à ces rêves de terrasses, de tours, de remparts, montant à des hauteurs inconnues et s'enfonçant dans d'immenses profondeurs, succédèrent des lacs et de vastes étendues d'eau. L'eau devint l'élément obsédant... »

amis du romancier, en particulier celles de M. Léon Werth qui disait :

« Je connais (...) le secret d'un de ses tours, le plus simple, qui n'est qu'un exercice d'entraînement. Je pourrais le livrer. Peu de gens seraient capables de s'en servir. Il est tout psychologique, fondé sur le choix qu'un sujet fera d'une carte selon ses coutumières associations et selon qu'il est ou non joueur. » (48)

Ici et là, dans les récits, on peut d'ailleurs relever des allusions aux tours de cartes et aux opérations magiques auxquels l'écrivain se livrait depuis sa jeunesse (49) ; on trouve aussi dans les *Carnets* l'essentiel des vues de l'aviateur sur la psychanalyse. (50)

Si l'action aérienne a mené Saint-Exupéry vers une forme particulière du rêve et si, d'autre part, elle a ouvert à l'aviateur un domaine favorable à certaines enquêtes de nature psychologique, le métier a-t-il aussi déterminé l'écrivain à considérer le mythe et à essayer de le transporter dans son œuvre ?

Saint-Exupéry a fait quelques allusions au mythe. (51) Nous en avons cité deux quand nous analysions le sens du mot « pathétique » sous la plume du romancier ; ce qu'il aimait, dans le roman américain dont il écrivait la préface, c'était que, sans s'y efforcer, Anne Lindbergh eût rejoint et rajeuni un mythe.

La question se pose : Saint-Exupéry a-t-il, lui aussi, retrouvé un mythe ? Plus précisément encore, a-t-il rajeuni le mythe d'Icare ?

Certains ont répondu affirmativement à cette question. Un des amis de l'auteur, Benjamin Crémieux, a même prétendu dans une note publiée par la *Nouvelle Revue Française,* que le jeune romancier de *Vol de Nuit* y était parvenu déjà dans son deuxième ouvrage :

« *Vol de Nuit* reprend le mythe d'Icare, avec cette variante qu'Icare est immédiatement remplacé et le sera autant de fois qu'il faudra, jusqu'à la victoire. *Vol de Nuit* reprend aussi le mythe des porteurs de flambeaux se transmettant l'un à l'autre la flamme conservée... » (52)

Certes, il est quasi impossible de lire un récit d'aviation sans y associer le souvenir d'Icare ; mais de là à modifier le mythe originel afin de le faire coïncider avec le thème d'un récit contemporain, il y a de la marge. Cette marge, à notre avis, est à la mesure de l'échec qu'ont connu les tentatives de Saint-Exupéry de retrouver le mythe.

Que vaut, d'ailleurs, la conclusion du critique ?

Certaines pages de *Vol de Nuit* (ce ne sont certainement pas celles sur lesquelles Benjamin Crémieux fonde son opinion !) évoquent le mythe d'Icare. Au chapitre XVIII du récit, on peut percevoir les échos lointains d'un désespoir mythique. [53] Mais la mort de deux aviateurs, comme le suggère d'ailleurs M. Crémieux, n'est pas nécessairement une défaite ; elle n'est même pas présentée comme une défaite provisoire ; elle est aussi bien un triomphe, une promesse de victoire finale, dans le contexte de l'espèce et de l'évolution humaines. Tout le reste du roman et toute la production littéraire de Saint-Exupéry s'inscrivent en faux contre le désespoir suggéré par certaines images du romancier quand il décrit cette mort. Celle-ci est un sacrifice librement consenti ; elle ne figure pas un châtiment.

Icare représente, au contraire, un des aspects les plus tragiques du destin et des aspirations de l'homme. Icare, prenant son vol, sait que les dieux en ont circonscrit l'espace ; dès qu'il abuse du privilège qui lui est échu, il se voue à l'échec ; il essaie quand même et il tombe. Icare est une figure tragique ; les aviateurs de Saint-Exupéry sont héroïques, ils ne sont jamais tragiques.

Pour rajeunir le mythe d'Icare, l'œuvre de Saint-Exupéry aurait dû se fonder sur des notions absolument étrangères à celles qui y sont : proposer un type d'homme qui crée son propre destin, devient ce qu'il veut être, et justifie un sacrifice individuel dans la perspective de l'espèce qui évolue, elle aussi, et se rapproche peu à peu de l'idéal. Il en va des héros de Saint-Exupéry comme de ceux de Claudel. Qu'ils subissent les pires défaites, leur don de soi leur permet d'accéder à une forme de l'éternité bienheureuse. Et qui plus est, ce don de la personne en aide d'autres à se rapprocher du but. L'élan créateur et le devenir, chez Saint-Exupéry, et les promesses de la Grâce chez Claudel, confèrent, respectivement, aux héros et aux œuvres de l'un et de l'autre, une haute valeur dramatique et pathétique ; mais ces principes en excluent automatiquement l'élément tragique que nous transmettent la plupart des mythes antiques.

Saint-Exupéry devait échouer dans ses tentatives de s'emparer du mythe tragique, à d'autres titres encore.

Dans sa préface au *Vent se Lève*, Saint-Exupéry semblait croire à la fatalité. Il y écrivait en effet : « Mais l'aide des dieux, aussi, est nécessaire : Anne Lindbergh retrouve la Fatalité. » (54) Or, dans ses propres récits, l'aviateur ne tient pas compte de cette puissance. Tout au plus a-t-il parfois souscrit à l'idée d'une Destinée qui collabore avec les héros. Mais, en général, les aviateurs de Saint-Exupéry ne se soucient pas de la Fatalité ; ils n'y croient pas. Fabien, dans *Vol de Nuit*, « aurait pu lutter encore, tenter sa chance : il n'y a pas de fatalité extérieure. Mais il y a une fatalité intérieure. Vient une minute où l'on se découvre vulnérable ; alors les fautes vous attirent comme un vertige. » (55) Tout le récit des vols de nuit tend à montrer comment il est possible de réduire, afin de l'éliminer, cette fatalité intérieure. Celle-ci n'est rien d'autre, en effet, que la somme des fautes, des faiblesses, des imperfections passagères. En châtiant ses hommes ou en fermant les yeux sur leurs erreurs, Rivière ramène constamment ses subalternes aux pieds de l'homme-créateur ; il ne tient pas compte de l'homme-créature (celui du mythe tragique). Il dit : « Comme si ma volonté seule empêchait l'avion de se rompre en vol, ou la tempête de retarder le courrier en marche. Je suis surpris, parfois, de mon pouvoir » (56) ; « Il faut qu'il n'y ait plus de mystère. » (57)

Les héros de Saint-Exupéry ne sont pas aux prises avec le Destin ; ils ne sont pas des victimes ; ils créent moins leur propre destinée que celle de l'espèce. Et cela encore les tient éloignés du mythe tragique.

Sans être des victimes, les aviateurs de Saint-Exupéry (et donc Saint-Exupéry lui-même) auraient pu être des révoltés. Mais rien, chez eux ou chez leur auteur, ne les prédispose à cette solution du problème. Leur vie de consentement réfléchi et de sacrifice volontaire exclut ou éteint immédiatement en eux toute idée de rébellion. Pouvait-il en être autrement dans les œuvres d'un homme qui a consacré le meilleur de ses énergies à se grandir en absorbant des contradictions ? Le Saint-Exupéry de *Pilote de Guerre* et de *Citadelle* a bien montré qu'il était susceptible d'éprouver des dégoûts, des aversions, des impatiences ; mais il a sublimé ces faibles courants d'insubordination.

Pas plus que la révolte, Saint-Exupéry n'a retenu l'angoisse ni l'absurde. Par le métier qu'il exerçait, il a fait des expériences dont il s'est servi pour désavouer l'une et l'autre.

Voici en quels termes il dénonçait l'angoisse de la mort, à partir des leçons qu'il tirait de l'exercice de son métier :

« Me vint donc de méditer sur l'acceptation de la mort. (...) Mais tu me viens avec ce litige sur l'instinct. Car il te pousse à fuir la mort et tu as observé de tout animal qu'il cherche à vivre. La vocation de survivre, me diras-tu, domine toute vocation (...) Certes, il est un instinct vers la vie. Mais il n'est qu'un aspect d'un instinct plus fort. L'instinct essentiel est l'instinct de la permanence. (58)

» Ainsi, pendant quelques minutes, j'ai cru ne point revenir, et cependant je n'ai pas observé en moi cette angoisse brûlante qui, dit-on, blanchit les cheveux... » (59)

Quant à l'angoisse existentielle, il l'a d'abord niée : « L'angoisse est due à la perte d'une identité véritable. Si j'attends un message dont dépend mon bonheur ou mon désespoir, je suis comme rejeté dans le néant. » (60) Dans *Citadelle*, Saint-Exupéry a situé l'angoisse existentielle sur le versant opposé de la ferveur, dans l'optique d'un élan créateur qui faiblit parfois : « Mais c'est alors que m'apparut la même frontière qui sépare l'angoisse de la ferveur... » (61)

En ce qui concerne l'absurde, l'auteur de *Pilote de Guerre* dit en avoir fait l'expérience quand il fut envoyé en mission sacrifiée sur une ville détruite : « Mais il est une impression qui domine toutes les autres au cours de cette fin de guerre. C'est celle de l'absurde (...) C'est si total que la mort elle-même paraît absurde. » (62) Ensuite, il se ressaisit ; de la crise qu'il a traversée, il déclare : « C'est comme si j'avais une maladie. » (63)

En écrivant par l'avion, Saint-Exupéry a voulu offrir aux hommes une vérité qui était vouée, dès l'origine, à ne rejoindre ni le mythe tragique ni les formes diverses de l'humanisme tragique, dont certains contemporains de notre auteur ont habillé le mythe.

Où donc cette vérité puisée chez les créateurs et contrôlée par l'engagement professionnel a-t-elle abouti ?

Elle a tendu, d'étape en étape, vers *l'universel ;* en chemin, elle est parvenue à fonder des analogies nouvelles (dans son vocabulaire particulier : des relations, des structures nouvelles). Et elle y est parvenue par le métier d'aviateur.

Comme nous avons essayé de le montrer dans les deux chapitres précédents de cette étude, Saint-Exupéry a envisagé la création comme un vaste système de rapports et d'analogies. Rappelons brièvement le principe et la méthode de sa recherche de l'universel et de l'unité absolue : « la vérité (...) c'est ce qui simplifie le monde... » (64) ; « j'aurai simplifié l'univers puisque j'aurai identifié des phénomènes très dissemblables ». (65) La grande leçon d'universel que Saint-Exupéry a exprimée par son métier et de son métier, est contenue tout entière dans cette phrase de *Terre des Hommes* : « par l'avion (...) on retrouve une vérité paysanne. » (66) C'est de cette manière que Saint-Exupéry a réellement accompli son dessein et retrouvé « quelque chose d'informulable, d'élémentaire, et d'universel *comme* un mythe. » (67) (C'est nous qui soulignons.)

On n'a pas mis en relief cette conclusion de l'expérience

professionnelle de Saint-Exupéry. Elle est pourtant formulée dans les récits d'aviation auxquels elle prête sa substance originale. En voici le développement succinct dans les quatre ouvrages :

Courrier-Sud évoque et fait disparaître d'une manière imprécise encore, la vérité paysanne ; l'auteur y met en scène, à côté de son héros-aviateur, un paysan dont le rôle primordial consiste à lui faire « toucher » l'éternité des choses : « Maintenant sur cette carriole, près de ce paysan, il s'éloignait de nous plus encore. Il s'enfonçait dans le mystère. L'homme, dès trente ans, portait toutes ses rides pour ne plus vieillir... » (68) Le paysan du premier roman figure déjà un type d'homme universel, simple, dont l'intuition élémentaire éveille le jeune aviateur à l'éternité des choses de la terre et de l'espèce humaine : « Bernis (...) touchait déjà un mur éternel, un arbre éternel : il devina qu'il arrivait. » (69)

Fabien, le pilote de *Vol de Nuit*, qui « s'habillait comme un paysan » (70), découvrait, lui aussi, sa vérité paysanne : « Il était semblable à un conquérant, au soir de ses conquêtes, qui se penche sur les terres de l'empire, et découvre l'humble bonheur des hommes (...) Ils ne savent pas ce qu'ils espèrent ces paysans accoudés à la table devant leur lampe... » (71)

L'auteur de *Terre des Hommes* a constamment recours à la même image ; mais cette fois, son message est ferme et assuré ; il a précisé l'analogie : « Moi, je suis heureux dans mon métier. Je me sens paysan des escales » (72) ; « Semblable au paysan qui fait sa tournée dans son domaine et qui prévoit, à mille signes, la marche du printemps (...) le pilote de métier, lui aussi, déchiffre des signes... » (73) L'auteur proclame, sans ambiguïté, la vérité qu'il n'avait fait que suggérer dans les deux livres précédents : « Au-delà de l'outil, et à travers lui, c'est la vieille nature que nous retrouvons. » (74)

Dans *Pilote de Guerre* enfin, l'aviateur raconte les joies éprouvées à partager l'existence des paysans qui l'hébergent. Il compose un hymne du blé : « J'ai vu luire la lumière du blé. » [75] Il célèbre la vérité paysanne en des termes qui expriment un sentiment vécu de communion mystique :

> « Une étrange évidence me fait me sentir responsable de ces provisions invisibles. Je quitte ma ferme. Je vais à pas lents. J'emporte cette charge qui m'est plus douce que pesante, comme le serait un enfant endormi contre ma poitrine. (...) Je me sens lié à ceux de chez moi, tout simplement. Je suis d'eux, comme ils sont de moi. Lorsque mon fermier a distribué le pain, il n'a rien donné. Il a partagé et échangé. Le même blé, en nous, a circulé. (...) Quiconque accède à la contemplation se change en semence. » (76)

Comme Victor Hugo, dans *Plein Ciel,* [77] Saint-Exupéry a comparé l'avion à la charrue : « Le paysan, dans son labour, arrache peu à peu quelques secrets à la nature, et la vérité qu'il en dégage est universelle. De même l'avion, l'outil des lignes aériennes, mêle l'homme à tous les vieux problèmes. » [78] Comme dans les cinq dernières strophes du poème prophétique, Saint-Exupéry a exploité les ressources de l'analogie qu'il a saisie et prolongée : « ... ils reposaient dans cet Atlantique Sud dont ils avaient si souvent labouré le ciel. Mermoz (...) s'était retranché derrière son ouvrage, pareil au moissonneur qui, ayant lié sa gerbe, se couche dans son champ. » [79] Comme Victor Hugo, enfin, l'aviateur a vu dans la conquête du ciel le signe du recul de la Fatalité [80] et le symbole d'une délivrance ultime permise par les dieux [81] ; il a vu dans l'aviateur l'image du paysan céleste, de l'homme éternel qui crée son propre destin d'archange [82], par le devenir incessant et non par la révolte.

Si l'avion, quand il est mis au service de la connaissance, est un moyen de synthèse et permet de redécouvrir des analogies et des concepts universels qui « simplifient le monde », il est tout autant un « instrument d'analyse » [83] qui fournit au romancier-aviateur un point de vue unique et inaccoutumé, dont il ne manque pas de tirer des effets. Nous voudrions relever ici quelques-uns des procédés descriptifs et narratifs qui dérivent directement du métier ou qui procèdent des analyses de l'aviateur.

En premier lieu, le métier d'aviateur a fourni au romancier un certain vocabulaire technique dont il n'a pas abusé dans ses livres. Saint-Exupéry était conscient du danger que court le technicien, quel qu'il soit, quand il fait passer son jargon dans des textes littéraires. D'autre part, il revendiquait pour un certain nombre, en tout cas, des mots de son métier, le droit d'exister dans la littérature — dans la bonne littérature. Il croyait même (et il en a fait la preuve) qu'il était possible d'envoûter des lecteurs à l'aide de ces mots techniques, et d'utiliser ceux-ci dans des documents qui consacreraient le vrai pathétique de l'aviation. Vers 1939, il tentait de justifier ses intentions en ces termes : « Avec ces mots *cour*, *bois* ou *pavé*, on frappe tout aussi bien au cœur qu'avec des automnes et des clairs de lune. Et je ne vois pas non plus pourquoi, avec des pressions de plongées, des gyroscopes et des lignes de mire, l'auteur ne saurait pas tout aussi bien nous empoigner qu'avec des souvenirs d'amour. » (84) Il disait d'autre part du livre d'Anne Lindbergh : « ... à travers ce pathétique professionnel elle a rejoint un pathétique plus général. » (85) On a suffisamment insisté sur le succès de cette entreprise littéraire ; l'intérêt considérable que le public marque encore actuellement à Saint-Exupéry en fait la preuve avec plus d'éloquence même que les commentateurs. Il n'est cependant peut-être pas inutile de rappeler que, si ce pathétique d'origine professionnelle et ce langage technique font actuellement partie du patrimoine littéraire de bon aloi, c'est à Saint-Exupéry, surtout, que revient l'honneur de cette conquête.

Il nous semble que le plus grand mérite de Saint-Exupéry est d'avoir su transposer en procédés de roman, une grande part de ses expériences professionnelles. En voici quelques exemples, parmi les plus remarquables.

L'aviateur a nécessairement recours au style télégraphique; les messages qu'il envoie ou qu'il reçoit sont brefs et squelettiques. L'écrivain s'est forgé un style télégraphique littéraire de la meilleure veine. Il en a abusé dans *Courrier-Sud,* qui en contient cependant de beaux exemples ; il en a tiré des effets vraiment saisissants dans *Pilote de Guerre.*

Dans *Courrier-Sud,* l'auteur aurait gagné à ne pas multiplier les passages de ce genre :

« L'opérateur, les yeux toujours fixés, j'ignore pourquoi, sur la pendule, lance des appels.
» — Il a entendu ?
» — Non. Mais il parle à Casablanca, on va savoir.
» Nous captons en fraude des secrets d'ange. Le crayon hésite, s'abat, cloue une lettre, puis deux, puis dix avec rapidité. Des mots se forment, semblent éclore.
» NOTE POUR CASABLANCA...
» Salaud ! Ténériffe nous brouille Agadir ! Sa voix énorme remplit les écouteurs. Elle s'interrompt net.
» ...TERRI SIX HEURES TRENTE. REPARTI A...
» Ténériffe l'intrus nous bouscule encore... Brume ? Ennui de moteur ? — Et n'a dû repartir qu'à sept heures... Pas en retard.
» — Merci ! (86)

Ce texte fait alterner les notations télégraphiques et les commentaires professionnels les plus authentiques. Mais à eux seuls, ces éléments ne satisferaient pas le lecteur. Ce qui leur donne vie, à nos yeux, c'est l'intervention discrète et délicate de l'image lyrique : « Nous captons en fraude des secrets d'ange. » C'est elle qui, presque à l'insu du lecteur qu'elle prend au piège, illumine ce passage.

Quant à *Pilote de Guerre,* comme nous l'avons signalé précédemment, ce roman est construit sur le principe de l'alternance : une scène d'action aérienne ou la transcription en style télégraphique d'une conversation entre deux pilotes, introduit une méditation philosophique ou l'évocation de souvenirs d'enfance.

Plus encore que du langage et du style professionnels, Saint-Exupéry a su tirer parti des expériences scientifiques auxquelles se livre le pilote d'un avion rapide. Il a surtout observé les effets des lois de la pesanteur et du mouvement, et il a traduit ses constatations en procédés narratifs.

Sur terre, les personnages des récits de Saint-Exupéry présentent une caractéristique qu'ils ne partagent avec les héros d'aucun autre écrivain : ils « pèsent ». Dans les airs, ils sont délivrés de la loi de la pesanteur. Le héros de *Courrier-Sud* « entre, pesant dans un dancing » (87) ; il y est « lourd comme un portefaix » (88). Tandis qu'il va prendre sa place aux commandes de son appareil, « il se hisse lourd et maladroit (...) scaphandrier hors de son élément. Mais une fois en place, tout s'allège. » (89) Une image immatérielle évoque la mort de ce héros : « Cette nuit, tu pesais peu de chose (...) Cette nuit, tu pesais moins encore... » (90)

L'expérience du métier permet donc à l'écrivain d'appliquer une mesure nouvelle à ses personnages ; l'accent qu'il met sur cette quatrième dimension perdrait évidemment sa raison d'être en dehors d'un document d'aviation.

L'expérience que le physicien (ou le simple pilote) fait de la relativité du mouvement pendant un vol, procure au narrateur une manière originale d'établir ses décors : le mouvement renversé. Ici, l'illusion d'optique dont est victime le passager, rejoint la loi de la physique ; l'imagination retrouve la science.

Que dit la physique ? A.S. Eddington, un des auteurs que Saint-Exupéry lisait, se place du point de vue de l'observateur aérien qui retombe sur la terre, et il explique ainsi la théorie du mouvement renversé :

> « Il est vrai que lorsque nous dirigeons nos regards vers la Terre, nous voyons des arbres et des maisons s'élançant à notre rencontre ; mais ce fait n'a rien de mystérieux. La cause en est évidente : ces objets sont simplement projetés de bas en haut par ce bombardement moléculaire que je viens de signaler. » (91)

Le phénomène que l'illusion d'optique situe dans le renversement du mouvement, et que la science explique à sa manière, est devenu, surtout dans le premier récit de Saint-Exupéry, un procédé littéraire dont il n'a pas été avare :

> « ... c'est la débâcle de ce monde uni : arbres, maisons (...) sont emportés derrière lui à la dérive. (92)
> » ... le paysage entier dérive... (93)
> » ... le terrain d'Alicante monte, bascule, se place... (94)
> » ... plaines, forêts, villages jailliront vers lui en spirale. » (95)

Les autres livres marquent une régression du procédé. Mais dans son premier ouvrage, Saint-Exupéry s'est plu à installer l'avion au centre de son univers ; tout le reste, des paysages aux êtres humains, subissait la loi du mouvement, était emporté ou s'écoulait dans une sorte de néant. Voici quelques spécimens du vocabulaire descriptif qui résultait de ce changement de perspective : tout est « emporté », « distancé », « effacé » (p. 14) ; le paysage est « fluide» (id.) ; il va « à la dérive », il est « aboli » (p. 15) ; des richesses sont « effacées, lavées » (p. 17), etc.

Courrier-Sud est le roman d'essai où les procédés de ce genre se lisent le plus facilement. Le premier livre de Saint-Exupéry est aussi celui où les expériences du métier se sont traduites en tentatives littéraires et non en valeurs didactiques, comme ce sera le cas pour les récits postérieurs. Ceux-ci, en effet, ne se contenteront pas de consommer ces expériences ; ils s'efforceront aussi de les transformer en préceptes culturels.

Dans l'ensemble, le métier a donné à la production littéraire de Saint-Exupéry une solide charpente qui la rassemble dans ses parties diverses ; il a fait passer dans cette œuvre une matière substantielle qui permet de la distinguer des honnêtes comptes-rendus d'aventures aériennes. En écrivant « par l'avion » et non sur l'avion ou pour l'avion, Saint-Exupéry a vérifié sur sa propre création une fonction essentielle qu'il reconnaissait à la littérature autant qu'à la profession : tout est « chemin, véhicule et charroi ».

Encore peut-on se demander utilement, sous l'angle de la littérature, ce que cette œuvre aurait « charrié », si, après *Courrier-Sud*, l'auteur s'était abandonné davantage au courant de ses expériences professionnelles, et s'il avait apporté moins de vigueur à le remonter pour en dégager des significations universelles.

Mais l'écrivain nous eût sans doute rappelé que ses préoccupations se portaient ailleurs, et que le but qu'il s'était assigné, sans interdire cette démarche, ne la justifiait pas.

Le style.

Selon l'Art Poétique de *Citadelle,* le style est, par excellence, l'opération qui permet au poète de capter ses mouvements intimes, de les exprimer avec le plus de fidélité, et de les faire agir dans l'esprit du lecteur. C'est dans le style que l'élan lyrique et la contrainte se fusionnent pour tendre les pièges qui sont destinés à capturer le lecteur. C'est vers le style que convergent finalement tous les éléments de la sorcellerie du langage : mots-clés révélateurs, réutilisables dans les opérations de dragage de l'inconscient individuel et collectif, images poétiques transfigurées en symboles, exercices syntaxiques destinés à épouser et à signifier fidèlement les rythmes intérieurs. En fonction de ces préceptes, le style est l'activité consciente et disciplinée dont le poète se sert pour traduire, dans la mesure du possible, des forces inconscientes souvent impétueuses.

Cette théorie se vérifie-t-elle dans les récits de l'aviateur ?

Pour répondre à cette question, il nous faut diviser les œuvres en deux parts inégales : d'un côté, nous placerons le premier livre du romancier, et de l'autre, autour de *Terre des Hommes,* nous rangerons *Vol de Nuit,* la *Lettre à un Otage* et le *Petit Prince. Courrier-Sud* nous instruira sur l'apprentissage du style. Les autres documents (*Terre des Hommes* en particulier) nous renseigneront sur la maturité du style. Nous nous référerons à *Pilote de Guerre* et à *Citadelle,* mais dans les limites que nous imposent les caractères particuliers de ces deux ouvrages.

Citadelle nous a déjà fourni une large part de la théorie du style ; en ce qui concerne la pratique, cet ouvrage nous intéresse encore en vertu de l'état d'inachèvement dans lequel il nous a été transmis ; il contient des passages achevés, un plus grand nombre de textes figés dans un état de demi-achèvement, et une infinité de méditations à l'état brut.

Pilote de Guerre a été composé dans des circonstances qu'il faut rappeler, avant de l'inclure dans un débat sur le style. Saint-Exupéry séjournait à New York, au lendemain des revers alliés d'Europe et d'Afrique du Nord, pendant la deuxième guerre mondiale. Ses éditeurs lui demandèrent un livre destiné, en réalité, au public américain ; on attendait de l'écrivain un document susceptible, à la fois, d'interpréter la défaite provisoire de la France et de convaincre les Américains de la nécessité où ils se trouvaient de participer plus activement à la libération de l'Europe occidentale. *Pilote de Guerre* fut donc écrit pour un public dont Saint-Exupéry ne connaissait et ne voulait pas apprendre la langue ; le livre devait être traduit en anglais au fur et à mesure qu'il se construisait. *Pilote de Guerre* est le témoignage le plus émouvant d'un homme partagé entre le désir sincère de satisfaire, sans se prostituer, et la peur réelle de ne pas être compris, même à travers l'excellente traduction anglaise que M. Lewis Galantière devait en donner. Ce dernier a bien mis en évidence la restriction mentale de l'auteur, la hâte qu'il a mise à composer et la frénésie qu'il a apportée à corriger sans relâche un texte qui ne le satisfaisait pas. (96) Ces réserves s'appliquent principalement aux chapitres qui transportent le message substantiel de l'auteur.

Le style de *Courrier-Sud* trahit l'imitation d'un maître et dénonce l'artifice et la contrainte ; il révèle les promesses dont les textes postérieurs portent les fruits.

Le premier récit de Saint-Exupéry marque l'époque où le jeune apprenti se soumet avidement à l'influence du style d'André Gide. Il emprunte aux *Nourritures* et à *El Hadj*, tout spécialement, un certain ton extatique, une résonance suave et un balancement décidé de la phrase qui rejaillit sur sa propre fin. C'est ainsi que, parfois, l'écrivain prête une allure prétentieuse à des détails ou événements sans importance, force son expression lyrique et gonfle son émotion dans des passages dont l'action est le thème.

Ici, c'est l'essai d'écriture trop volontaire qui étire les réminiscences gidiennes à partir des conjonctions : « Alors vous nous preniez les mains et vous nous disiez d'écouter parce que c'étaient les bruits de la terre et qu'ils rassuraient et qu'ils étaient bons. » (97)

Là, c'est l'emploi soutenu de l'adjectif démonstratif qui donne à la phrase son caractère insinuateur de demi-confidence : « Et ce printemps ! Te souviens-tu de ce printemps après la pluie grise de Toulouse ? Cet air si neuf qui circulait entre les choses. Chaque femme contenait un secret : un accent, un geste, un silence. Et toutes étaient désirables. Et puis, tu me connais, cette hâte de repartir, de chercher plus loin ce que je pressentais et ne comprenais pas, car j'étais ce sourcier dont le coudrier tremble... » (98)

Là encore, c'est l'usage d'une interjection d'émerveillement dans deux passages lyriques : l'un au début du livre, l'autre à la dernière page : « Pour l'instant, il lui semble naître avec le petit jour qui monte, aider, ô matinal, à construire ce jour » (99) ; « Dans l'étoile la plus verticale a lui le trésor, ô fugitif ! » (100)

Ailleurs, c'est une succession rapide d'impressions dont la dernière est laissée en suspens, après avoir recueilli en un seul mot ou dans une nouvelle image, les éléments épars du contexte : « Allongés l'un et l'autre et muets. On sent la vie qui vous traverse comme une rivière. Une fuite vertigineuse. Le corps : cette pirogue lancée... » (101) ; « Le voyage n'a de sens ni ici ni ailleurs, mais quelle sécurité on tire d'avoir son billet, sa cabine, et ses valises de cuir jaune. D'être embarqué... » (102)

Beaucoup plus personnel mais tout aussi volontaire nous apparaît le procédé qui consiste à mettre en relief un verbe de mouvement, en le rejetant à la fin d'une phrase courte : « Derrière l'hélice, un paysage d'aube, tremble. » (103) ; « L'avion, happé par l'hélice, fonce » (104) ; « Carcassonne, escale de secours, sous lui dérive » (105) ; « ... sur le cadran de l'altimètre le soleil miroite » (106) ; « Un coup de palonnier : le paysage entier dérive. » (107) Dans les deux premiers exemples, l'insistance se marque par l'emploi de la virgule qui opère comme un rejet du verbe ; dans les autres exemples, le rejet semble tout naturel, la virgule ayant été supprimée.

On sent trop l'artifice dans cette phrase plus longue, que Saint-Exupéry ponctue soigneusement en fonction de ses principes rigides de mise en évidence ; la ponctuation lui donne la fin abrupte que suggère la dernière image, mais le procédé manque de souplesse : « Tu as vu, certains soirs, aux couchers de soleil tragiques, tout le fort espagnol, dans la plage luisante, sombrer. » (108)

Saint-Exupéry a abusé de certains procédés de style parfaitement légitimes en soi, mais dont l'emploi rigide et répété trahit l'application. En manipulant les règles et les possibilités de la syntaxe de manière à subordonner la structure de ses phrases à l'idée qu'il voulait y mettre, il a souvent abouti à surcharger cette idée.

L'auteur de *Courrier-Sud* s'est, de plus, essayé au style solennel ; il a bâti des associations ternaires de propositions, autour de ses conjonctions favorites :

> « Car ils ne s'étonnaient pas de ma poignée de main robuste (...) car ils nous traitèrent sans transition comme des hommes, car ils coururent chercher une bouteille de vieux Samos... (109)
>
> » Mais une hyène crie et le sable vit, mais un appel recompose le mystère, mais quelque chose naît, fuit, recommence... » (110)

On retrouve, ici et là, dans les autres récits :

> « Mais des arêtes verticales, qu'à six mille d'altitude on frôle, mais des manteaux de pierre qui tombent droit, mais une formidable tranquillité. *(Vol de Nuit)* (111)
>
> » Mais les réverbères défilaient, mais le terrain se rapprochait, mais ce vieil omnibus branlant n'était plus qu'une chrysalide... » (112) *(Terre des Hommes)*

Courrier-Sud révèle également un emploi caractéristique de l'apposition. Un seul mot suffit rarement à l'auteur pour rendre, avec la précision voulue, une idée ou des relations d'idées. Mais les termes que Saint-Exupéry appose ne sont pas exactement des épithètes ; ils expriment autant d'aspects nouveaux et parfois même contradictoires du concept initial. Dans certains cas, le sens de la phrase appellerait normalement une conjonction là où l'auteur emploie la virgule :

« Ce n'étaient plus ces vents d'Europe qui tournent, cèdent ; (113)

» ... on s'appuyait sur eux (...) avec le sentiment d'être emporté, de les remonter... (114)

» Le soleil tournait, ramenait le jour... (115)
(...)
» Ceux qui gesticulaient, portaient leur fusil... » (116)

Très souvent, dans le premier ouvrage, l'auteur exprime l'idée en trois mots dont le dernier sert à introduire une image qui fait rebondir la phrase : « ... livrent des objets durs, nus, précis comme ceux d'un stand. Sous cette voûte chaque mot résonne, demeure, charge le silence » (117) ; « ... ces richesses ne sont qu'offertes, puis effacées, lavées par les heures comme par la mer. » (118)

Dans les énumérations dont l'écrivain est friand, les appositions de mots ou de groupes de mots tendent souvent à s'organiser en groupes ternaires ; ces associations ternaires sont parfois entremêlées.

« Dernier soir dans l'appartement. Journaux pliés autour des blocs de livres. Lettres brûlées, lettres classées, housses de meubles. Chaque chose cernée, tirée de sa vie, posée dans l'espace. (119)

» Pour que malgré les tempêtes, les brumes, les tornades, malgré les mille pièges du ressort de soupape, du culbuteur, de la matière, soient rejoints, distancés, effacés... » (120)

Enfin, on ne peut s'empêcher de lire, dans *Courrier-Sud* les nombreux essais de prose rythmée et d'allitération auxquels l'écrivain s'est livré. En voici deux spécimens. Dans le premier, un authentique trimètre romantique fait déborder son rythme dans la phrase suivante ; dans l'autre, une allitération en fait naître une seconde :

« Un rocher passe, en jet de fronde, et l'assassine. Un enfant court, mais une main l'arrête au front, et le renverse. (121)

» Le Sahara se dépliait dune par dune sous la lune (...) Les vents alizés glissaient sans repos vers le Sud. Ils essuyaient la plage avec un bruit de soie. » (122)

Dès *Vol de Nuit,* Saint-Exupéry utilise un style qui dissimule davantage l'effort de la composition ; ce style reste conscient et volontaire, mais il devient habile.

Tout d'abord, les procédés d'imitation gidienne se font de moins en moins perceptibles. Ce que Saint-Exupéry retient des enseignements d'André Gide, c'est surtout, semble-t-il, un principe général qui fonde le style littéraire sur l'effort, mais invite l'écrivain à se débarrasser de sa « manière » et à tendre vers la « banalité ». (123)

Dans *Citadelle,* Saint-Exupéry a insisté sur la nécessité de la contrainte, mais il n'a pas développé l'idée contenue dans la seconde partie du précepte d'André Gide. D'autre part, l'Art Poétique n'aborde pas directement le problème de la couleur propre de son style. Quelques passages de *Terre des Hommes* en disent plus long à cet égard que les innombrables méditations du poème posthume. En effet, l'auteur de *Terre des Hommes* se soucie fort de préciser les qualités de son style de vie ; or, il se fait que ces traits caractéristiques s'appliquent aussi à son style littéraire ; de plus, ces marques distinctives sont très voisines des conceptions gidiennes de la « banalité ». Voici les textes :

> « Ce vieil omnibus a disparu, mais son austérité, son inconfort sont restés vivants dans mon souvenir. Il symbolisait bien la préparation nécessaire aux dures joies de notre métier. Tout y prenait une sobriété saisissante. (124)
>
> » Du vent, du sable, des étoiles. Un style dur pour trappistes. (125)
>
> » Il est une qualité qui n'a point de nom. Peut-être est-ce la *gravité,* mais le mot ne satisfait pas. Car cette qualité peut s'accompagner de la gaieté la plus souriante. C'est la qualité même du charpentier qui s'installe d'égal à égal en face de sa pièce de bois, la palpe, la mesure et, loin de la traiter à la légère, rassemble à son propos toutes ses vertus. » (126)

Ces passages constituent sans doute la meilleure définition du style de vie *et* du style littéraire de Saint-Exupéry. L'austérité, la sobriété, une certaine dureté, une sorte de gravité : ces termes s'appliquent aux deux aspects du style de l'homme.

D'autre part, *Terre des Hommes* nous propose un texte essentiel, une définition de la perfection du style de l'avion moderne :

> « Il semble que tout l'effort industriel de l'homme, tous ses calculs, toutes ses nuits de veille sur les épures, n'aboutissent, comme signes visibles, qu'à la seule simplicité (...) jusqu'à ce qu'il n'y ait plus une aile accrochée à un fuselage, mais une forme parfaitement épanouie, enfin dégagée de sa gangue, une sorte d'ensemble spontané, mystérieusement lié, et de la même qualité que celle du poème. Il semble que la perfection soit atteinte non quand il n'y a plus rien à ajouter, mais quand il n'y a plus rien à retrancher. Au terme de son évolution, la machine se dissimule. La perfection de l'invention confine ainsi à l'absence d'invention. » (127)

La perfection est atteinte quand il n'y a plus rien à retrancher. Là encore, Saint-Exupéry rejoint la théorie d'André Gide, non seulement sous l'angle de la « banalité », mais encore sous celui de la mesure : « ... le *rien de trop* est la première condition de l'art. » (128)

A partir de *Vol de Nuit*, et dans *Terre des Hommes* en particulier, Saint-Exupéry s'est efforcé vers un style sobre et soumis. Le miracle, c'est qu'il y soit parvenu sans tarir sa source lyrique. Et ses plus beaux passages sont, à nos yeux, ceux où il s'est contenté de traduire des expériences de métier :

> « Je ne regrette rien. J'ai joué, j'ai perdu. C'est dans l'ordre de mon métier. Mais tout de même, je l'ai respiré, le vent de la mer. (129)
>
> » Il nous dérangeait dans notre songe, quand nous faisions gravement les cent pas de la Grande Ourse au Sagittaire, quand la seule affaire à notre échelle, et qui pût nous préoccuper, était cette trahison de lune... » (130)

Dans ses récits d'aviation, Saint-Exupéry a souvent fait alterner des textes écrits dans un style nerveux et objectif, et d'autres plus majestueux, destinés à soutenir le commentaire spirituel de l'action. C'est dans *Terre des Hommes* et dans la *Lettre à un Otage* surtout, que l'auteur démontre qu'il sait aussi réunir et confondre ces deux aspects de l'écriture qui consacrent son talent. Il nous a laissé des passages dont le style se charge d'une densité inusitée, car c'est l'action qui y écrit elle-même son commentaire spirituel :

« Cette mort du monde se fait lentement. Et c'est peu à peu que me manque la lumière. La terre et le ciel se confondent peu à peu. Cette terre monte et semble se répandre comme une vapeur. Les premiers astres tremblent comme dans une eau verte. Il faudra attendre longtemps encore pour qu'ils se changent en diamants durs. Il me faudra attendre longtemps encore pour assister aux jeux silencieux des étoiles filantes. Au cœur de certaines nuits, j'ai vu tant de flammèches courir qu'il me semblait que soufflait un grand vent parmi les étoiles. » (131)

« C'est alors qu'eut lieu le miracle. Oh ! un miracle très discret. Je manquais de cigarettes. Comme l'un de mes geôliers fumait, je le priai d'un geste, de m'en céder une, et ébauchai un vague sourire. L'homme s'étira d'abord, passa lentement la main sur son front, leva les yeux dans la direction, non plus de ma cravate, mais de mon visage et, à ma grande stupéfaction, ébaucha, lui aussi, un sourire. Ce fut comme le lever du jour.

» Ce miracle ne dénoua pas le drame, il l'effaça, tout simplement, comme la lumière, l'ombre. » (132)

Comparons ces deux passages.

Dans le premier, le style atteint sa densité lyrique à l'aide des images, dans le cadre d'un clair-obscur aux proportions cosmiques ; cette densité lui vient sans le secours de la ponctuation à l'intérieur des phrases. Dans le second texte, l'auteur narre une scène au ralenti. La description est plus directe et les images sont plus rares. L'auteur ponctue abondamment ; sa mise en relief se fonde sur l'usage des virgules, en particulier. Mais il ne force plus sa phrase à représenter graphiquement, comme dans *Courrier-Sud*, l'idée qu'elle transporte et les éléments qu'elle accentue. Quand il réduit sa ponctuation, l'écrivain élargit du même coup, dans l'esprit du lecteur, le champ possible de la suggestion et de l'interprétation. Lorsqu'il multiplie les virgules, il rétrécit considérablement le domaine de la suggestion. En général, Saint-Exupéry s'est beaucoup servi des signes de la ponctuation ; il en a fait des adjuvants de la clarté et de la concision de son style. Cependant, si nous consultons *Citadelle* à cet égard, nous y lisons parmi les chapitres non encore délivrés de leur « gangue », des textes du premier jet (ou qui en sont très proches) et qui ne sont pour ainsi dire pas ponctués. Il est fort probable, en effet — et M. Lewis Galantière confirme cette opinion — que Saint-Exupéry écrivait ou dictait ses premières versions en s'aidant de peu de signes de ponctuation, exceptions faites pour les points et les virgules nécessaires à la compréhension immédiate. Le réel effort et l'application patiente venaient ensuite ; et l'écrivain se livrait alors aux constantes recherches de la nuance telle que sa conception du style la lui faisait exprimer. *

Si le style de *Terre des Hommes* est celui de la maturité de l'écrivain, c'est surtout parce qu'il paraît être le résultat de la facilité et non le fruit laborieux de l'effort ; il porte ses qualités avec aisance. Nous savons cependant ce que l'écriture coûtait à Saint-Exupéry. Le traducteur de la plupart de ses livres auprès des libraires américains, M. Lewis Galantière, a partagé ce qu'il a appelé « les tourments de la composition » de l'aviateur. Voici ce qu'il en dit, à propos de *Terre des Hommes* précisément :

> « Chaque fois qu'il avait composé un passage particulièrement ardu et sentait qu'il devait en faire immédiatement la lecture à voix haute, c'est à moi qu'il téléphonait...
>
> » Non seulement avait-il réécrit certains chapitres tout entiers (...) mais il avait fini par supprimer un tiers du texte qu'il m'avait laissé (...) transmettant des modifications qu'il était en train d'apporter au texte français (...) des virgules à ôter ou à insérer, des verbes à faire passer du subjonctif à l'impératif, la syntaxe et le rythme d'innombrables phrases à transformer en vue d'obtenir une écriture plus simple et plus facile. Mais il y avait autre chose. D'abord, Saint-Exupéry purifiait son style ; il éliminait la rhétorique, la fioriture ; il s'efforçait vers l'austère. Il concevait une telle répugnance du *littéraire* et du trompe-l'œil qu'il renonça à son titre évocateur... » (133) **

* Exemples de passages non retravaillés : *Citadelle*, chapitre CCIX, deuxième paragraphe ; ce paragraphe ne contient qu'une seule longue phrase de quatorze lignes. Chapitre CCXVI, septième paragraphe, etc...

** N.B. C'est nous qui traduisons. Le premier titre que Saint-Exupéry avait donné à son roman était : *Du Vent, Du Sable, Des Etoiles* ; c'est ce titre originel que les éditeurs américains ont conservé : *Wind, Sand and Stars*.

L'acceptation des contraintes, la reconnaissance de l'effort, la recherche de la simplicité, la volonté du dépouillement : tout rappelle André Gide et, dans une certaine mesure, renvoie à la communauté littéraire qui a accueilli Saint-Exupéry au moment de *Courrier-Sud.* Ce groupe, c'est celui de la *Nouvelle Revue Française,* telle que Gide la concevait. On sait que Saint-Exupéry a entretenu des rapports suivis avec plusieurs membres de cette communauté, en particulier André Gide, Jean Prévost, Benjamin Crémieux et Drieu La Rochelle. On fait remonter la première rencontre de l'aviateur et de Jean Prévost à l'année 1925. (134) Les éditeurs des *Œuvres Complètes* de Saint-Exupéry ont signalé que ce dernier a lu les premiers manuscrits de son testament littéraire à Drieu La Rochelle et à Benjamin Crémieux, qui se sont montrés « réservés » quant à la valeur du texte qu'on leur soumettait. (135) Nous avons aussi cité, au cours du présent travail, un document qui établit que Saint-Exupéry entretenait des relations épistolaires avec Benjamin Crémieux. On sent, d'autre part, que ce milieu de la *N.R.F.* a porté un réel intérêt à son jeune collaborateur, par delà les divergences de vues, comme l'indiquent ces remarques de Benjamin Crémieux :

> « Je me demande d'autre part si la préface d'André Gide, (136) d'une lucidité critique exemplaire, et qui dit tout des mérites du conteur et de l'ouvrage, n'a pas eu le tort d'être d'André Gide et de donner un peu à M. de Saint-Exupéry figure de disciple. Que la volonté de condensation et une certaine recherche du *cristallin* dans le style qui caractérisent M. de Saint-Exupéry aient été confirmées par l'exemple de Gide, on peut l'admettre... Mais cela dit, il faut être bien inattentif pour ne pas voir qu'il n'y a guère communauté d'esprit, ni de vision entre Gide et Saint-Exupéry. » (137)

De tous les conseillers que l'écrivain a pu avoir, il est clair, en effet, que Gide (sans avoir joué le rôle de directeur spirituel) a été celui dont les avis littéraires étaient suivis avec le plus d'enthousiasme par le jeune disciple. Parmi les premiers, ce maître avait mis en valeur un style « classique » d'une nouvelle allure ; et cette perspective du classicisme (dans toutes ses significations), à elle seule, devait constituer aux yeux de

Saint-Exupéry, une raison éminemment valable de faire figure de disciple. Mais il est aussi évident que le disciple le plus fidèle finit un jour par s'émanciper et se passer du maître ; au préalable, il a fait d'amples provisions qui alimenteront son talent personnel dans son essor. Et cet affranchissement nécessaire, Gide, mieux que quiconque, savait le reconnaître et l'encourager.

Les personnages.

Si Saint-Exupéry a accordé une importance considérable au style de ses récits, il n'a pas agi de même, semble-t-il, envers les personnages qui les habitent. Ou, plus exactement, s'il a retenu l'idée d'une certaine recherche « littéraire » dans le domaine du style, c'est un but tout différent qu'il a poursuivi dans la création de ses personnages.

Du point de vue du style, *Courrier-Sud* est le moins satisfaisant — parce que le plus apprêté — des ouvrages de l'aviateur. Sous l'angle des personnages, ce récit est le plus intéressant de tous ; il contient en puissance des personnages de roman. *Vol de Nuit* met en scène les héros d'un drame à thèse. Dans *Terre des Hommes* et dans *Pilote de Guerre,* l'auteur n'a plus recours à la fiction et narre, lui-même, des expériences vécues. La *Lettre à un Otage* évoque les souvenirs d'une rencontre de l'écrivain avec un de ses amis. Les personnages du *Petit Prince* et de *Citadelle* sont symboliques ou allégoriques.

Courrier-Sud est le seul ouvrage où l'auteur a tenté de créer des personnages de roman. Cependant, au cœur même des récits les plus dépouillés d'éléments fictifs, on peut suivre le développement de plusieurs figures symboliques ou légendaires qu'il vaut la peine de considérer ; elles ont aidé l'écrivain à transfigurer le réel et à sublimer le souvenir des événements les plus authentiques qu'il relate ; nous les étudierons à la fin de cette partie du chapitre III.

Peu de textes nous permettent de saisir les intentions de

Saint-Exupéry en ce qui concerne les personnages de ses livres. Un passage de la préface au *Vent se Lève* jette quelques clartés sur le problème ; mais il n'énonce que des généralités. D'autre part, deux paragraphes des *Œuvres Complètes* nous renseignent sur l'origine d'un personnage épisodique. Voici les textes en question :

« J'ai certes feuilleté beaucoup de fadaises sentimentales. Mais j'ai lu aussi mille récits où l'on prétendait en vain m'émouvoir en me racontant la descente d'une aiguille sur un manomètre. Car, bien que l'aiguillle descendît, bien que cette descente menaçât la vie du héros, et bien qu'à la vie du héros fût lié de toute évidence le sort d'une épouse anxieuse, je ne me sentais guère ému si l'auteur était sans génie. Les faits concrets ne transportent rien par eux-mêmes. La mort du héros est fort triste s'il laisse une veuve éplorée, mais il ne suffit pas pour nous émouvoir deux fois plus, d'inventer un héros bigame. » (138)

Dans *Terre des Hommes,* l'auteur évoque le souvenir d'un personnage de second plan, qui avait fait une première apparition dans *Courrier-Sud.* (139) Il raconte qu'il s'est échoué auprès du fortin de Nouatchott :

« Un vieux sergent y vivait enfermé avec ses quinze Sénégalais. Il nous reçut comme des envoyés du ciel. (...) On joue le rôle d'apparition auprès d'un vieux sergent qui pleure, — Ah ! buvez, ça me fait plaisir d'offrir du vin ! Pensez un peu ! J'ai raconté ça dans un livre, mais ce n'était point du roman... » (140)

Au fond, c'est un peu dommage qu'il nous le dise... Que ce ne fût pas du roman, nous aurions pu l'ignorer ou, en tout cas, l'oublier. Mais, préoccupé qu'il est d'exprimer la vérité universelle d'une des rencontres les plus magiques de son ouvrage, Saint-Exupéry n'hésite pas à rompre momentanément le charme véritable de la scène.

La question se pose : le sergent de *Courrier-Sud* et de *Terre des Hommes* est-il aussi, par delà son authenticité historique, un personnage de roman ? Les héros comme Bernis et Rivière méritent-ils d'être considérés comme des héros de roman ?

Il s'agit de savoir, au préalable, ce que l'aviateur pensait de la littérature.

Saint-Exupéry ne croyait pas que la littérature fût un métier : « Je me demande bien comment font les *gens de lettres* qui ne changent jamais de métier parce qu'ils n'en ont même pas. Ils ne se déshabillent jamais. Ils font des enquêtes. C'est une rigolade ! » (141)

Dans ses récits, il a fait des allusions de cette nature ; il a formulé des reproches précis : « J'ai connu un suicidé jeune (...) Je ne sais à quelle tentation littéraire il avait cédé en habillant ses mains de gants blancs... » (142) Parlant de la mort, il disait : « Où trouve-t-on cette démence hagarde que, pour nous éblouir, inventent les littérateurs ? » (143) Il condamnait d'autre part le besoin d'évasion dont « une mauvaise littérature nous a parlé. » (144) Un jour que des paysans lui demandaient de signer à leur intention un de ses livres, Saint-Exupéry a raconté pourquoi il s'est livré « avec plaisir, pour faire plaisir », à une pratique qui lui avait toujours paru « un peu ridicule » : « Je ne faisais figure, malgré ce livre, ni d'auteur, ni de spectateur. Je ne venais pas du dehors (...) Ce livre eût pu me donner l'apparence d'un témoin abstrait. Et cependant je ne faisais figure malgré lui, ni d'intellectuel ni de témoin. J'étais des leurs. » (145)

De telles affirmations ne devaient pas manquer de procurer à Saint-Exupéry des défenseurs dans les milieux de la littérature engagée ! Jean-Paul Sartre a acclamé l'écrivain comme ayant appartenu à sa génération. (146)

De toute manière, Saint-Exupéry pose ses exigences. Il confirme les déclarations de *Citadelle* et les développe en termes concrets : le littérateur n'est pas un être à part ; il doit être engagé dans la communauté humaine ; il doit avoir un métier où il fait provision d'expériences valables qui, intégrées dans l'œuvre littéraire, sont ensuite communiquées à la collectivité. Fondée sur le métier, la littérature puise ses forces vives dans les expériences professionnelles et se fait le véhicule des vérités qui se dégagent de cet engagement. En dernière analyse, elle est un moyen de proclamer une vérité et elle ne peut pas être gratuite. En fonction de ses conceptions, Saint-Exupéry est indissolublement lié à son message. En vertu de ses principes, n'est-il pas naturel que les personnages soient, eux aussi, liés à la vérité de l'auteur ? C'est cette conviction fondamentale que l'aviateur juge bon, parfois, de rappeler dans ses livres : « ... mais ce n'était pas du roman... »

Cependant, cette conviction, Saint-Exupéry ne l'a pas acquise du premier coup ; de plus, elle ne rend pas compte du talent de l'écrivain. Que Rivière, dans le second récit, soit lié à la vérité du romancier, au point d'en devenir le porte-parole, cela ne fait pas l'ombre d'un doute ! Mais la vérité qu'incarne Rivière suffit-elle pour justifier tout l'intérêt que le lecteur porte à ce personnage ? Et que penser de Jacques Bernis et de Geneviève, dans le premier récit ? Et que penser encore des récits dont l'auteur est en même temps l'acteur et le héros ?

Chaque livre, en particulier, apporte sa propre solution au problème des personnages ; le point de vue de l'écrivain y varie, selon des modalités qu'il vaut la peine d'analyser d'abord, et de rassembler ensuite, pour en tirer les conclusions.

Dans *Courrier-Sud*, l'auteur manie deux points de vue différents. Il est, tantôt, l'apprenti-romancier qui analyse ses personnages et les explore sans trop savoir où ils aboutiront ; tantôt, il est lui-même acteur-narrateur et il annonce ainsi le point de vue qu'il adoptera, à l'exclusion du premier, dans *Terre des Hommes* et dans *Pilote de Guerre*.

Quand il manie le premier point de vue, dans *Courrier-Sud*, il n'est qu'apprenti-romancier, mais il promet de devenir un grand romancier par les procédés qu'il met en œuvre pour guider ses personnages sur la voie du possible, de l'imprévisible. Il ne comprend pas toujours ses propres personnages et il semble chercher avec eux et sur eux, une vérité qu'il ne s'est pas encore acquise par lui-même. Il est déjà grand, parce qu'il s'explore lui-même dans d'authentiques personnages de roman (les seuls de toute la production littéraire de Saint-Exupéry).

Examinons brièvement les procédés que l'auteur utilise pour caractériser Bernis et Geneviève et pour découvrir en eux sa vérité d'homme.

Saint-Exupéry ne se soucie pas d'indiquer les traits physiques de ses personnages ; ses préoccupations le portent d'emblée à creuser ses héros en profondeur. Ce qu'il cherche, c'est à en saisir et à en révéler les mobiles inconscients. Fidèle à son grand principe de synthèse, il les développe selon une formule qui tend à les résumer d'étape en étape, à les exprimer tout entiers dans les phases successives de leur progression. Il se refuse à les analyser ; il les « psychanalyse », et cette méthode lui permet de les décrire sans les disséquer et sans diviser leur personnalité. Ce besoin d'unité de l'auteur, les héros le traduisent parfois eux-mêmes, tel Bernis, qui « se disait : *Si je trouve une formule qui m'exprime, qui me rassemble, pour moi ce sera vrai.* » (147)

Il n'est pas permis d'en douter : Saint-Exupéry applique à l'approfondissement progressif de ses personnages, les principes de la psychanalyse, qui sont : le souvenir et le rêve. *

Pour les exprimer sans les démanteler, Saint-Exupéry place ses personnages dans des situations qui leur permettent de se souvenir et de rêver, tout à la fois ; la mémoire opère des reculs successifs. *Courrier-Sud* est divisé en trois parties. Dans la première, Bernis se souvient d'un passé récent : « Bernis rêve. Hier, il quittait Paris (...) Il en garde le souvenir confus d'un tumulte obscur » (148) ; « Jacques Bernis, jusqu'au phare de Tanger, va se souvenir. » (149) La deuxième partie du livre raconte les événements survenus pendant les deux mois qui ont précédé le retour du héros à Paris : « Je dois revenir en arrière, raconter ces deux mois passés, autrement qu'en resterait-il ? » (150) Dans le corps de la troisième partie, enfin, le souvenir remonte aux années d'enfance du héros : « Jacques

* En ce qui concerne le rêve, cf. *Le métier*, où nous avons considéré cet aspect de la signification des rêves de l'aviateur.

Bernis, cette fois-ci, avant ton arrivée, je dévoilerai qui tu es... » (151) ; « Fuir, voilà l'important. A dix ans, nous trouvions refuge... » (152) Il suffit de constater : l'auteur signale lui-même les procédés qu'il emploie dans la démultiplication du souvenir.

Les trois parties du livre ne sont donc pas des divisions arbitraires ; elles correspondent à trois étapes de la mémoire qui s'interroge. De plus, le sort de Geneviève Herlin est intimement lié à celui du pilote ; le passé de l'héroïne se déroule dans la mémoire de l'auteur, de la même manière et simultanément : « Bernis est las. Deux mois plus tôt, il montait vers Paris, à la conquête de Geneviève » (153) ; « En lisant ce mot de Bernis, Geneviève, j'ai fermé les yeux et vous ai revue petite fille. Quinze ans quand nous en avions treize. Comment auriez-vous vieilli dans nos souvenirs ? » (154)

En même temps qu'il reconstitue, en le transfigurant, le passé intime de ses personnages, l'écrivain s'applique à décrire ceux-ci dans le temps présent ; il s'efforce de justifier la décision que le héros prendra finalement de se séparer de son amante et de chercher le trésor dans l'action aérienne. Mais ici, l'écrivain lui-même semble hésiter et se chercher dans ses personnages. Dans Geneviève, il montre un côté de la vie et un aspect de la vérité : la possibilité offerte à Bernis de fonder un foyer et de vivre dans un cadre qui dure. En Bernis, par contre, il évoque une autre solution du problème de l'existence : la faculté de rester disponible pour s'accomplir dans la grande action aventureuse.

Mais, et ce fait littéraire est unique dans la production romanesque de Saint-Exupéry, l'auteur attache une importance considérable à Geneviève, dont il approfondit le caractère presque autant que celui de l'aviateur. A certains points de vue il met sur pied d'égalité les deux mondes incompatibles que son héros et son héroïne finissent par signifier au terme de ses recherches psychiques. En réalité, Saint-Exupéry, au moment de *Courrier-Sud*, poursuit sa propre vérité dans l'un et dans l'autre des personnages qui en figurent deux aspects contradictoires. *Courrier-Sud* est l'œuvre d'un homme qui a opté pour l'aviation mais n'a pas encore renoncé tout à fait à l'autre forme de l'engagement social que figure Geneviève : la famille (le mariage et les enfants). Il dévoile ses incertitudes intimes en créant deux personnages qui, bien qu'ils symbolisent deux orientations divergentes de sa vie possible, méritent une dose égale de sa sympathie d'homme. Il s'est voué à l'action aérienne, bien sûr, mais il n'en discerne pas encore l'aboutissement avec précision ; d'autre part, il aspire à fonder une famille et il s'efforce déjà de reconstituer par le souvenir, celle qu'il a chérie quand il était enfant. Cette hésitation de l'auteur est d'autant plus réelle, que celui-ci ne justifie pas la décision ultime de Bernis, quand ce dernier renonce à Geneviève ; il se contente de dire : « Fuir, voilà l'important. » (155) Etrange conclusion qui ne se justifie qu'à la lumière des doutes que l'auteur de *Courrier-Sud* nourrissait dans son poste de relais africain.

Les deux personnages d'avant-plan du premier récit représentent effectivement des directions distinctes du possible de l'auteur ; à ce titre surtout, ils méritent qu'on les considère comme étant, en puissance, des personnages de roman.

Cependant, Bernis et Geneviève évoluent dans le cadre d'un récit d'aviation et non dans celui d'un roman ; en effet, ce cadre ne leur fournit pas les éléments qui pourraient favoriser leur croissance. Par cet aspect du problème, ils finissent (Bernis, surtout) par devenir des personnages de récit, soumis aux directives d'un narrateur qui les utilise pour faire revivre le réel, dans un contexte pathétique. Saint-Exupéry prend part, lui-même, à l'action qu'il relate et annonce ainsi l'époque des troisième et quatrième documents d'aviation, quand les personnages auront perdu leur utilité et leur raison d'être, à ses yeux.

Dans *Vol de Nuit*, le narrateur s'abstient de prendre part à l'action ; il est l'auteur invisible mais omniscient qui sait, d'avance, où ses personnages aboutiront. Il cesse, du même coup, d'accomplir les promesses contenues dans le livre précédent.

L'auteur de *Vol de Nuit* approfondit encore son héros, mais sans s'aider du souvenir et du rêve d'une manière systématique ; il creuse le héros dans le temps présent pour en extraire l'élan créateur qui puisse justifier la dureté du personnage et le thème du récit. Il rassemble la personnalité de Rivière autour d'une force aveugle : « Et il sentait sa propre force ramassée en lui comme un poids : *Mes raisons pèsent, je vaincrai, pensait Rivière. C'est la pente naturelle des événements* (...) plus simplement, parce qu'il pesait dans la bonne direction. » (156)

Cette pesanteur qui explique Rivière et qui l'entraîne vers les solutions de ses problèmes sans le secours de la psychologie, c'est la gravité de l'élan créateur, c'est la puissance irrésistible du devenir de l'espèce humaine, qui s'installent dans le récit. En d'autres termes, c'est la vérité de l'auteur que son héros incarne au détriment de la fiction et des enquêtes psychiques si captivantes du premier livre.

Rivière est entouré d'une équipe de collaborateurs ; tous expriment leur part de la vérité globale et y adhèrent. Ils forcent l'admiration par les qualités morales que l'auteur leur a données en ouvrant son récit ; ils n'évoluent pas. Un seul personnage suggère une notion contradictoire : Simone Fabien, la femme de l'aviateur, l'ombre de Geneviève... Elle aussi, d'ailleurs, exprime une vérité :

> « Elle devinait, avec gêne, qu'elle exprimait ici une vérité ennemie, regrettait presque d'être venue, eût voulu se cacher. (...) Mais sa vérité était si forte que les regards fugitifs remontaient, inlassablement, à la dérobée, la lire dans son visage. (...) Elle révélait aux hommes le monde sacré du bonheur, sans le savoir, en agissant. (...) Elle révélait quelle paix, sans le savoir, on peut détruire. » (157)

Vol de Nuit met en scène d'admirables personnages de drame pathétique. Mais ce récit marque le moment où Saint-Exupéry cesse de s'entretenir avec ses personnages. Dès son troisième ouvrage, il aura recours à une autre formule qui le servira bien jusqu'à son dernier livre : il conversera avec lui-même (l'autre lui-même, comme *Citadelle* nous l'apprendra), par le souvenir.

Il n'y a plus de personnages de roman dans *Terre des Hommes*. Le narrateur revit le réel qu'il transfigure en le relatant ; il confie au récit des souvenirs intimes ou bien rapporte ceux que lui ont transmis quelques grands aviateurs. Il est très soucieux de présenter ces derniers tels qu'il les a connus, dans la perspective du métier qu'il partage avec eux, et non tels qu'on les a crus : « J'ai lu, autrefois, Guillaumet, un récit où l'on célébrait ton aventure, et j'ai un vieux compte à régler avec cette image infidèle (...) On ne te connaissait pas, Guillaumet (...) Je t'apporte ici, Guillaumet, le témoignage de mes souvenirs. » (158)

Il fait ainsi des portraits d'autant plus saisissants qu'il rétablit ces hommes dans le cadre de leur profession et dans celui des relations humaines ; il les dépeint dans l'engagement professionnel et tout autant dans leur condition d'homme.

Terre des Hommes fait aussi allusion à des personnages qui procèdent du merveilleux légendaire de l'enfance ; nous reviendrons sur ces visions dans un instant.

La description des personnages de *Pilote de Guerre* est fort semblable à celle du livre précédent. Cependant, le narrateur prend une part plus grande encore à l'action qui se déroule. De plus, les silhouettes légendaires qui avaient fait de brèves apparitions dans les ouvrages précédents, sont beaucoup plus nombreuses. Saint-Exupéry revit son enfance ; il retrouve l'univers fantastique de ses jeunes années. Il nous parle d'un frère cadet, de ses sœurs, de sa gouvernante.

Dans *Le Petit Prince*, le conteur réutilise le merveilleux de l'enfance pour y installer des personnages de légende qui sont, en réalité, des symboles lourds de sens.

Quels sont ces personnages ?

Il y en a de deux espèces bien distinctes. Les moins importants jouent un rôle didactique discret et délicat, mais indéniable. On doit citer le roi, le vaniteux, le buveur, le businessman, l'allumeur de réverbères et le géographe, que le prince va visiter sur leurs planètes respectives. Nous les avons cités ici dans l'ordre de leur entrée en scène ; quant à savoir lequel des six a la prééminence sur les autres, un simple coup d'œil sur la liste permet de s'en assurer. Ce ne peut être que l'allumeur de réverbères et il n'est pas besoin d'un long article pour le prouver, comme nous nous souvenons en avoir lu un quelque part... Ces personnages servent à illustrer la supériorité d'une qualité « enfantine » de l'âme ou du cœur sur un faux-semblant de la maturité. Les figures principales du conte sont celles qui revêtent un réel contenu biographique : (l'auteur), le petit prince, la fleur du prince et le serpent ; ces quatre acteurs sont les plus importants du drame spirituel dans lequel Saint-Exupéry résume ses expériences de vie et annonce les circonstances de sa mort. *

Le sens profond des quatre figures précitées n'apparaît qu'à une condition : le lecteur doit opérer un recul, se souvenir du rôle que ces personnages ont joué dans les autres ouvrages de l'écrivain et remonter jusqu'à *Courrier-Sud* qui contient la clé de ces symboles.

Nous avons mentionné, en passant et à diverses reprises, l'existence de figures légendaires dans les récits de Saint-Exupéry. Nous voudrions à présent les examiner, afin d'en obtenir la clé, en insistant tout spécialement sur celles d'entre elles qui aboutissent au conte du *Petit Prince.*

Le premier et le plus important de ces personnages est, sans conteste, le prince de légende. Il apparaît déjà dans *Courrier-Sud.* Jacques Bernis est ce prince ; mais un Bernis

* Quant aux autres symboles (le renard, le mouton, les baobabs, etc...) ils expriment, comme les habitants des planètes, des vérités didactiques plus qu'ils ne signifient des éléments biographiques.

qui se souvient et, en particulier, le Bernis qui retourne à sa maison natale pour y faire provision de souvenirs avant d'aller découvrir le trésor dans la mort du désert. Nous devons citer, une fois encore, ce texte considérable : « Royaume de légende endormi sous les eaux, c'est là que Bernis passera cent ans en ne vieillissant que d'une heure (...) il portera dans le fond du cœur un souvenir qui ne peut pas se raconter, *couleur de lune, couleur du temps.* » (159)

Aux dernières pages de *Terre des Hommes*, l'écrivain narre un épisode de voyage en chemin de fer. S'étant levé la nuit pour traverser le train dans toute sa longueur, il s'est arrêté dans un compartiment de troisième pour y contempler un enfant qui dort entre deux réfugiés polonais : « Ah ! quel adorable visage ! » (160) Quand il veut exprimer la beauté de ce visage, il trouve tout naturel de recourir à la plus vague et pourtant la plus juste de toutes les images : « Les petits princes des légendes n'étaient point différents de lui ; protégé, cultivé, que ne saurait-il devenir ? Quand il naît par mutation dans les jardins une rose nouvelle, voilà tous les jardiniers qui s'émeuvent. On isole la rose, on cultive la rose, on la favorise... » (161)

Fait curieux ! le petit prince du conte est, lui aussi, jardinier ; il prend soin d'une fleur — une rose — qu'il arrose avec amour mais qu'il se décide un jour à abandonner, pour aller visiter les différentes planètes de son univers. Le petit prince en arrive à regretter d'avoir quitté sa fleur :

> « Ainsi le petit prince, malgré la bonne volonté de son amour, avait vite douté d'elle. Il avait pris au sérieux des mots sans importance et était devenu très malheureux (...) J'aurais dû ne pas l'écouter, me confia-t-il un jour, il ne faut jamais écouter les fleurs. Il faut les regarder et les respirer. La mienne embaumait ma planète, mais je ne savais pas m'en réjouir (...) Je n'ai rien su comprendre ! J'aurais dû la juger sur les actes et non sur les mots. Elle m'embaumait et m'éclairait. Je n'aurais jamais dû m'enfuir ! J'aurais dû deviner sa tendresse derrière ses pauvres ruses. Les fleurs sont si contradictoires ! Mais j'étais trop jeune pour savoir l'aimer. » (162)

> « — Ne traîne pas comme çà, c'est agaçant. Tu as décidé de partir. Va-t-en. Car elle ne voulait pas qu'il la vît pleurer. C'était une fleur tellement orgueilleuse... » (163)

Cette fleur est une jeune fille que le « petit prince » se reproche d'avoir quittée, un jour, dans les circonstances auxquelles il fait allusion dans les deux textes cités plus haut ; cette rose, c'est Geneviève que Bernis a abandonnée pour s'élancer dans la quête du trésor. L'écrivain du conte merveilleux a réutilisé, systématiquement, des éléments dont il s'était servi pour décrire les héros de son premier roman. En voici quelques-uns, tels qu'ils apparaissent dans des extraits des deux textes :

Courrier-Sud :	*Le Petit Prince :*
(Bernis va renoncer à Geneviève ; l'auteur décrit Geneviève :)	(Le prince a quitté sa rose ; il la dépeint par le souvenir :)
« Vous étiez si bien abritée par cette maison, et, autour d'elle, par cette robe vivante de la terre ! » *(p. 28)*	« ... à l'abri de sa chambre verte. » *(p. 955)*
« Elle dont le goût était si sûr... » *(p. 42)*	« Elle choisissait avec soin ses couleurs. » *(p. 955)*
« Elle régnait sur les livres, les fleurs, les amis (...) Des pétales, pense Geneviève... » *(p. 38)*	« Elle s'habillait lentement, elle ajustait un à un ses pétales... » *(p. 955)*
(Son enfant mort, Geneviève est allée rejoindre Bernis qu'elle a surpris en train de lire, à l'aube :)	(Le prince rappelle les circonstances dans lesquelles sa fleur est apparue :)
« Vous, chez moi, à cette heure-ci, Geneviève... J'ai vu de la lumière, je suis venue... » *(p. 38)*	« Et puis voici qu'un matin, justement à l'heure du lever du soleil, elle s'était montrée... » *(p. 955)*
« Elle s'attarda, refit lentement sa coiffure... » *(p. 37)*	« Ah ! je me réveille à peine... Je vous demande pardon... Je suis encore toute décoiffée... » *(p. 955)*
(Dès son arrivée chez Bernis, Geneviève réarrange un intérieur qui heurte son goût :)	(La fleur déplore le manque de confort de la planète du prince :)

« — Vous n'aimez pas mes bibelots ?
» — Pardonnez-moi, Jacques... C'est un peu... Elle n'osait pas dire : *vulgaire.* » (cf. tout le paragraphe qui suit.) *(p. 43)*

« Il fait très froid chez vous. C'est mal installé. Là d'où je viens... » *(p. 956)*

« Fuir, voilà l'important. » *(p. 71)*

« Je n'aurais jamais dû m'enfuir ! » *(p. 957)*

« Mais j'étais trop jeune pour savoir l'aimer. » *(p. 957)*

Tel est le secret du Petit Prince ! Il est aussi celui de Bernis dont il explique enfin la décision de renoncer à Geneviève : « Il avait pris au sérieux des mots sans importance » ... « Je n'ai alors rien su comprendre ! » ... « Je n'aurais jamais dû m'enfuir ! » ... « Mais j'étais trop jeune pour savoir l'aimer. » Et c'est aussi, sans aucun doute, le secret d'Antoine de Saint-Exupéry : celui qui, dans l'ordre psychologique, explique sa décision de chercher le trésor dans l'action aérienne. Tout le reste en a découlé. *Le Petit Prince* corrige ainsi, de la façon la plus inattendue, la leçon étrange et ambiguë du romancier, quand celui-ci dénouait, sans enthousiasme, l'intrigue de son premier livre .

Cependant, les protagonistes allégoriques de ce conte merveilleux signifient bien davantage.

Qu'en est-il du serpent et de ses rapports avec le petit prince ?

Perché sur un vieux mur où il s'est réfugié dans sa frayeur, le petit prince s'entretient avec un serpent auquel il demande s'il se souvient de son point de chute sur la terre : « Tu ne t'en souviens donc pas ? disait-il. Ce n'est pas tout à fait ici ! (...) Si ! Si ! c'est bien le jour, mais ce n'est pas l'endroit... (...) Tu n'as qu'à m'y attendre. J'y serai cette nuit... » (164) C'est ainsi que le prince et le serpent se donnent rendez-vous et déterminent les circonstances dans lesquelles l'enfant quittera la terre. Ce dernier demande ensuite au serpent : « Tu as du bon venin ? Tu es sûr de ne pas me faire souffrir longtemps ? » (165) L'auteur intervient alors pour prendre le prince dans ses bras : « Je sentais battre son cœur comme celui d'un oiseau qui meurt... » (166) ; « Petit bonhomme, n'est-ce pas que c'est un mauvais rêve cette histoire de serpent et de rendez-vous et d'étoile... » (167)

Au moment où il écrivit son conte, Saint-Exupéry attendait son ordre d'embarquement pour l'Afrique du Nord ; il voulait combattre. Le livre est sorti de presse le 6 avril 1943, après le départ de l'aviateur. Nous savons par quelques chapitres de *Citadelle* (168) que, vers cette époque, l'écrivain méditait beaucoup sur la mort et qu'il s'y préparait en toute lucidité. La scène précitée évoque un accident fatal, toujours possible, dont la menace pesait sans cesse sur le pilote. Que signifie donc le serpent ?

Dans deux textes au moins, Saint-Exupéry a comparé l'avion au reptile. Dans *Terre des Hommes*, il a décrit une chute accidentelle au Sahara, dans les termes suivants : « L'avion, sans culbuter, a fait son chemin sur le ventre avec une colère et des mouvements de queue de reptile. A deux cent soixante-dix kilomètres-heure, il a rampé. » (169) Il a développé la métaphore du serpent dans un paragraphe entier de *Pilote de Guerre* où il disait, alors qu'il pilotait sous la menace d'un avion ennemi : « A l'instant même où vous connaîtrez qu'il y a combat, le chasseur ayant lâché son venin d'un coup, comme le cobra, déjà neutre et inaccessible, vous surplombera. Les cobras ainsi se balancent, jettent leur éclair et reprennent leur balancement. » (170)

Et le serpent fut fidèle au rendez-vous du petit prince ; mais il fixa la rencontre au-dessus des eaux bleues et non dans les sables chauds du désert bien-aimé.

Il est une autre leçon du conte merveilleux que les autres ouvrages de Saint-Exupéry permettent de dégager : *Le Petit Prince* achève, dans la production littéraire de l'aviateur, une longue recherche de l'enfant spirituel.

Sans être, à proprement parler, un personnage de r[illegible] *l'enfant* figure partout dans les œuvres de Saint-Exu[illegible] il y apparaît sous des aspects divers. Dans *Citadelle*, la na[illegible]-nance et la croissance de l'enfant sont des symboles didactiques de la création, de la force vitale et du lent devenir. Dans ses récits d'aviation, l'auteur a surtout insisté sur le pathétique de l'enfance ; la mort, la maladie et la souffrance de l'enfant sont des thèmes que l'écrivain met constamment en relief. C'est ce deuxième aspect du symbole qu'il importe d'aborder ici.

Plusieurs chapitres de *Courrier-Sud* [171] sont bâtis autour d'un événement considérable : la mort de l'enfant de Geneviève. Cette disparition provoque la séparation des époux et l'évasion de Geneviève en compagnie de son amant. Spirituellement désorientée par la perte qu'elle a subie, la mère trouve une certaine consolation dans une évidence qui lui vient : « Là-bas, son fils n'a pas tout à fait disparu (...) Elle connaît là-bas le signe des morts et ne le craint pas (...) Disparus ? Quand parmi ceux qui sont changeants ils sont seuls durables, quand leur dernier visage était si vrai que rien d'eux ne pourra jamais le démentir ! » [172]

Le chef de *Vol de Nuit* évoque très peu de souvenirs ; les seuls que l'auteur lui attribue sont précisément des souvenirs d'enfants :

> « Je suis semblable au père d'un enfant malade, qui marche dans la foule à petits pas. Il porte en lui le grand silence de la maison. (173)
>
> » (Il se souvient) d'une vision qui avait frappé son enfance : on vidait un étang pour trouver un corps. On ne trouvera rien non plus (...) De simples paysans découvriront peut-être deux enfants au coude plié sur le visage, et paraissant dormir (...) Mais la nuit les aura noyés. » (174)

Pour montrer que Rivière, lui aussi, est parfois susceptible d'éprouver de la pitié, l'auteur imagine qu'une jeune mère a, un jour, confessé à son personnage : « La mort de mon enfant, je ne l'ai pas encore comprise... » [175]

Nous avons signalé plus haut le rôle que l'enfant joue aux dernières pages de *Terre des Hommes* ; l'auteur s'inquiète du sort des petits dans un monde qui ne les respecte plus : « Mozart enfant sera marqué comme les autres par la machine à emboutir (...) Mozart est condamné. » (176) Parmi d'autres enfants dont il évoque le souvenir, il en est un dont il dit : « Un enfant, la nuque au mur, pleure en silence ; il ne subsistera de lui, dans mon souvenir, qu'un bel enfant à jamais inconsolable... » (177)

Dans *Pilote de Guerre*, il est souvent question des « petits enfants menacés de mort ». (178) Cet ouvrage contient un texte de la plus haute importance ; il narre une scène de l'enfance de Saint-Exupéry, qui est peut-être la source véritable de beaucoup d'images poétiques :

> « J'ai reçu à l'âge de quinze ans ma première leçon : un frère plus jeune que moi était, depuis quelques jours, considéré comme perdu (...) Il me dit d'une voix ordinaire : — Je voudrais te parler avant de mourir. Je vais mourir (...) Ne t'effraie pas... je ne souffre pas. Je n'ai pas mal (...) La mort ? Non. Il n'est plus de mort quand on la rencontre. Mon frère m'a dit : N'oublie pas d'écrire tout ça... » (179)

C'est probablement cet événement vécu qui réapparaît, transfiguré, dans plusieurs chapitres de *Citadelle* : « Mais j'ai vu mourir l'enfant d'Ibrahim... » (180) Toutefois, le prince de *Citadelle* tire d'autres conclusions du fait historique ; chaque fois qu'il évoque l'image de l'enfant mort, c'est, en réalité, pour méditer sur l'enfant du rêve :

> « Certes, me diras-tu, est fragile le petit enfant (...) Mais j'ai vu mourir l'enfant d'Ibrahim. Dont le sourire était au temps de sa santé comme un cadeau. Viens, disait-on, à l'enfant d'Ibrahim. Et il venait vers le vieillard. Et le vieillard en était éclairé. Il tapotait la joue de l'enfant et ne savait trop quoi lui dire, car l'enfant était un miroir qui donnait un peu de vertige (...) Ainsi de l'enfant d'Ibrahim dont le sourire passait comme une occasion merveilleuse que tu n'eusses su en quoi, comment saisir. Comme un règne trop court sur des territoires ensoleillés et des richesses que tu n'as même pas eu le temps de recenser (...)
> Enfant chétif ? Où vois-tu qu'il le soit ? Chétif comme le général qui mène une armée... » (181)

On doit évidemment envisager de tels élans mystiques dans les relations profondes qui les unissent aux songes du *Petit Prince*. Dans *Citadelle*, aussi bien que dans le conte merveilleux ou dans les récits d'action aérienne, l'auteur a non seulement revécu son enfance ; il en a également retrouvé la vérité : « Ce monde des souvenirs d'enfance me semblera toujours désespérément plus vrai que l'autre. » (182) * Saint-Exupéry est redevenu comme l'enfant qu'il était jadis ; il a fait coïncider cette projection de lui-même que constitue le petit prince du conte (jusqu'à un certain point le Prince de l'œuvre posthume) avec l'objet de ses aspirations les plus intimes : l'enfant que le mariage ne lui a pas donné, mais que le rêve lui a permis de caresser. (183)

Citadelle et *Le Petit Prince* sont les refuges de (nous hésitons à forger cette expression, mais on nous comprendra !) *l'enfance améliorée* de Saint-Exupéry ; l'architecture spirituelle qui conditionne ces deux livres est la même. Dans l'un comme dans l'autre, l'aviateur s'est bâti une maison du rêve dont il a dit : « Et le merveilleux d'une telle maison construite en rêve est qu'elle abrite, au lieu de soi, un soi-même transfiguré. » (184)

Rétrospectivement, et en terminant, cette maison du rêve construite en marge de l'action aussi bien que dans l'action, nous aide à saisir toute l'importance que l'écrivain a dû accorder à deux autres figures symboliques : le conquérant et la fée. Tous deux traversent les récits d'aventures comme les ombres projetées par d'authentiques aviateurs et par les quelques personnages féminins que l'auteur met en scène. Les pilotes et leurs fiancées ou leurs épouses appartiennent à deux mondes incompatibles ; ils ne se rejoignent pas dans le réel. Leurs ombres, seules, ont le privilège de s'unir et de communier dans le souvenir et dans le rêve d'un merveilleux de légende. Dans *Courrier-Sud* et dans *Vol de Nuit*, l'écrivain s'est

* cf. *Carnets*, p. 32 : « Méthode : relire les livres de l'enfance, oubliant entièrement la part naïve qui n'a point d'effet, mais notant tout le long les prières, les concepts charriés par cette imagerie. Etudier si l'homme privé de cette onde bienfaisante ne tend pas vers le gigolo 1936. » Ibid., p. 133 : « Piètre non-sens : les enfants qui ne comprennent point — c'est-à-dire seuls comprennent... », etc.

appliqué à montrer dans l'action et dans le bonheur familial, deux formes irréconciliables du bonheur. Bernis, le conquérant [185], renonce à la fée [186] Geneviève ; Fabien est, lui aussi, le conquérant [187] de l'air ; il quitte sa femme et son foyer : « Elle restait là. Elle regardait, triste, ces fleurs, ces livres, cette douceur, qui n'étaient pour lui qu'un fond de mer. » [188] Mais dans *Terre des Hommes* et *Pilote de Guerre*, l'aviateur absorbe peu à peu la contradiction qu'il soulignait dans les livres précédents. A mesure qu'il relit son enfance, il redevient lui-même le chevalier conquérant [189] dont les fées sont les compagnes les plus fidèles. [190] Il réconcilie ainsi, pour lui-même, en rêve, les deux univers qui n'admettaient pas le partage dans ses récits antérieurs.

En dernière analyse, des figures symboliques comme celles du prince, de l'enfant, du conquérant et de la fée font passer une riche substance dans les livres de Saint-Exupéry ; de plus, elles ajoutent à la cohésion que le métier leur conférait déjà. Elles sont discrètes, sans prétention ; sans doute même n'ont-elles qu'un lointain rapport avec les « personnages de roman » auxquels d'autres écrivains nous ont accoutumés ! [191] Mais elles n'en ont pas moins permis à l'auteur de se raconter tel qu'il devenait, quand il se transfigurait dans le rêve de l'action.

La formule du livre.

Il est certain qu'aussi longtemps qu'il lira les œuvres d'Antoine de Saint-Exupéry, le grand public continuera à les considérer, dans l'ensemble, comme des romans. Jusqu'à quel point cette appellation populaire s'applique-t-elle, en principe, aux quatre premiers ouvrages de l'aviateur ? [192]

D'autre part, Saint-Exupéry s'est essayé consciemment à divers genres de documents littéraires. Il a cherché une formule du livre qui pût le servir avec succès selon la nature particulière du message qu'il apportait. Quelle est la forme spécifique que revêt chacun des sept ouvrages de l'écrivain ?

Quand il composait *Courrier-Sud*, Saint-Exupéry envisageait son livre comme un roman : « J'ai commencé un roman. Tu vas être émerveillée, il a déjà cent pages, seulement je doute de lui... » (193)

André Gide s'était exprimé avec plus de circonspection à cet égard ; des œuvres comme *L'Immoraliste*, *La Porte Etroite* ou la *Symphonie Pastorale* étaient, à ses yeux, des récits. Et dans sa préface à *Vol de Nuit*, c'est bien un récit que Gide présentait au public : « Ce récit dont j'admire aussi bien la valeur littéraire, a d'autre part la valeur d'un document... » (194) Un peu plus haut, dans cette même préface, André Gide disait de *Courrier-Sud* : « J'aime le premier livre de Saint-Exupéry, mais celui-ci bien davantage. Dans *Courrier-Sud*, aux souvenirs de l'aviateur, notés avec une précision saisissante, se mêlait une intrigue sentimentale qui rapprochait de nous le héros... » (195)

D'autre part, il est fort probable que Saint-Exupéry, même dans la toute première période de sa carrière littéraire, ne s'est pas soucié du problème du roman pur, comme l'a fait André Gide. Cependant, il a fait preuve de prudence, lui aussi, quand il a composé la préface du livre américain *Le Vent se Lève*, qu'il a présenté au public d'expression française comme un livre, un récit, une œuvre, un ouvrage, et non comme un roman. De telles précautions oratoires évoquent, ici encore, l'influence du maître sur le disciple. La préface du livre d'Anne Lindbergh date de 1939 ; *Courrier-Sud*, de 1928. Quand il compose son premier ouvrage, le jeune auteur tente véritablement d'écrire ce qu'il conçoit comme un roman ; lorsqu'il analyse *Le Vent se Lève* il a renoncé à ce mot et à cet objectif littéraire, il construit des récits.

Courrier-Sud n'est pas une tentative de roman que dans l'esprit de son auteur ; il l'est aussi si l'on considère certains aspects du document. Nous avons essayé de montrer plus haut, comment, sans être précisément des personnages autonomes, les héros de *Courrier-Sud* correspondaient à des orientations divergentes du possible de l'écrivain. Nous avons aussi signalé certains procédés de caractérisation psychique qui donnaient une densité et une profondeur décidées à ces héros ; cependant, le « romancier » finissait par céder le pas au « narrateur » qui était chargé de conclure.

Courrier-Sud comporte également une intrigue ; et ce fait, lui aussi, constituait une promesse de roman. L'auteur était, bien sûr, maître de cette intrigue (ne l'avait-il pas vécue ?) ! De plus, cette intrigue était pauvre, réduite à l'essentiel : une jeune mère perd son enfant et quitte son mari pour aller rejoindre un aviateur qui, après un essai de vie commune, renonce à la femme au profit de l'action aérienne.

En définitive, l'auteur de *Courrier-Sud* n'a rien de « l'auteur imprévoyant » qui, dans *Les Faux Monnayeurs,* « s'arrête un instant, reprend souffle, et se demande avec inquiétude où va le mener son récit. » (196) Néanmoins, cette intrigue réduite n'est pas surajoutée au récit d'aviation qu'elle étoffe : elle permet à l'auteur de développer ses personnages dans l'espace et de les faire passer par une série de transformations progressives dans le temps.

Si *Courrier-Sud* est une tentative de roman, *Vol de Nuit* est un récit parfait. André Gide a surtout mis en relief les qualités morales et la vérité humaine de ce récit ; quant à la forme, il en a dit : « Ce récit, dont j'admire aussi bien la valeur littéraire, a d'autre part la valeur d'un document, et ces deux qualités, si inespérément unies donnent à *Vol de Nuit* son exceptionnelle importance. » (197) Il a aussi souligné le fait que l'absence d'intrigue sentimentale servait bien l'écrivain et la thèse du surpassement défendue par Rivière.

Vol de Nuit inaugure la série des documents de témoignage. Il comporte une action qui n'est pas une intrigue ; les personnages qui y figurent n'évoluent pas. Les événements sont dramatiques, intensément ; les personnages, tendus du début à la fin. Le pathétique de l'ouvrage est d'autant plus puissant qu'il ne se fonde pas sur des notions sentimentales.

Par la qualité du style, par l'équilibre dans lequel les éléments de l'œuvre se maintiennent et par la sobriété des procédés utilisés par l'auteur pour mettre en évidence une vérité émouvante, *Vol de Nuit* est sans doute le plus classique — le plus soumis, tout en étant lyrique — des récits d'aviation de Saint-Exupéry ; il vérifie le principe de la perfection que l'écrivain énonçait dans *Terre des Hommes* : « Il semble que la perfection soit atteinte non quand il n'y a plus rien à ajouter, mais quand il n'y a plus rien à retrancher. » (198)

Terre des Hommes et *Pilote de Guerre* sont des récits d'aviation monologués ; leur auteur a renoncé à se servir des personnages et de l'intrigue. A ces éléments de la fiction, il a substitué ceux auxquels il aura recours dorénavant : le souvenir et le rêve. Il a dû choisir entre « le fictif » et « le surréel » ; il a opté pour les procédés de la sublimation et de la transfiguration. Quant au « réel », il est hors de question ; Saint-Exupéry ne croit pas au réalisme, au document photographique : « Il n'est point de lecture directe du réel. Le réel c'est le tas de briques qui peut prendre toutes les formes. Qu'importe si ce journaliste a rédigé son livre écrit en style télégraphique et n'a charrié que du concret, il est obligatoirement intervenu entre le réel et son expression. » (199)

L'auteur interrompt la narration des événements, pour raconter des souvenirs d'enfance. Ceux-ci servent de transition entre deux scènes d'action. Saint-Exupéry a ainsi évité l'écueil qu'ont rencontré d'autres romanciers de l'aviation dont les récits, tels que notre auteur les caractérisait, « enchaînent les événements aux événements avec l'arbitraire d'histoires de chasse. » (200) D'autre part, le narrateur n'hésite pas, parfois, à surseoir à la fois l'action et les souvenirs, afin de composer un essai très court, ordinairement. Cet essai est intimement lié au contexte ; il procède souvent d'une méditation de vol. *Terre des Hommes* comporte de nombreux essais ; *Pilote de Guerre* en contient tout autant, sans oublier la confession de foi de l'auteur.

La *Lettre à un Otage* est un essai. Elle permet à l'écrivain d'évoquer des souvenirs de l'âge mûr et d'en exprimer la signification essentielle. Les faits bruts et les personnages sont transfigurés, ainsi que « l'ami » lui-même l'a bien montré dans un article de *Confluences.* (201) La *Lettre* met en valeur le talent d'essayiste de Saint-Exupéry. Elle nous replace, en outre, devant le fait trop souvent négligé que l'aviateur a pratiqué le journalisme. Elle décrit, notamment, une scène que l'auteur a vécue, tandis qu'il était correspondant en Espagne, pendant la guerre civile. Un regard jeté sur les articles que Saint-Exupéry a rédigés lors de ses voyages en Russie et en Espagne, nous révèle ce talent d'essayiste à son origine. (202)

Dans *Le Petit Prince,* l'auteur a élu la forme du conte merveilleux pour résumer ses expériences de vie et pour les fixer dans des symboles. La disparition de l'auteur, peu après la parution de son conte, a conféré un caractère d'unicité à ce document ; on peut croire, pourtant, que, s'il avait survécu, Saint-Exupéry ne se serait pas répété dans ce genre d'œuvre. On ne trahit pas deux fois ses secrets intimes.

Quant à *Citadelle,* nous espérons en avoir suffisamment indiqué la teneur et la portée dans cette étude, pour qu'il ne soit pas besoin de redéfinir ce poème auto-critique. Nous savons d'autre part ce que cette somme littéraire incomplète représentait aux yeux de son auteur ; celui-ci y a consacré sept ou huit années et il en a conçu plusieurs versions.

C'est dans ce livre que l'auteur décantait ses souvenirs ; il les y transcrivait, non sans les avoir dépouillés de leur enveloppe temporelle. Et au moment de quitter le poète et sa création, nous ne pourrions mieux souligner l'importance de ce document, qu'en citant deux passages qui illustrent admirablement le procédé de transfiguration du réel dont Saint-Exupéry s'est servi dans son testament littéraire. Le premier texte est tiré de *Pilote de Guerre* ; il évoque le souvenir d'un fait historique. Il est la clé du second passage que nous extrayons de *Citadelle* ; là, l'auteur ne traduit plus que le souvenir d'un souvenir, et il tend à exprimer une vérité universelle et intemporelle :

« Que représentaient la Norvège et la Finlande pour les soldats et les sous-officiers de chez moi ? Il m'a toujours semblé qu'ils acceptaient, confusément, de mourir pour un certain goût des fêtes de Noël. Le sauvetage de cette saveur-là, dans le monde, leur semblait justifier le sacrifice de leur vie. Si nous avions été le Noël du monde, le monde se fût sauvé à travers nous. (203)

» Moi j'ai connu celui-là qui voulait mourir parce qu'il avait entendu chanter la légende d'un pays du Nord et, vaguement, connaissant que l'on y marche une certaine nuit de l'année dans la neige, laquelle est craquante, sous les étoiles, vers des maisons de bois illuminées (...)

» Donc mon soldat voulait mourir (...) Et je ne connais point de raison meilleure pour mourir. » (204)

CONCLUSIONS

Dès son premier récit, Antoine de Saint-Exupéry a visé à un idéal esthétique de synthèse ; sous l'influence d'Elie Faure, surtout, la pensée de l'écrivain a tendu à réinterpréter l'univers en fonction des principes de l'activité et de l'évolution créatrices.

Cette pensée a renoncé aux distinctions que l'on établit d'habitude entre le vrai et le faux, le bien et le mal, le beau et le laid, la pensée et l'acte. Elle a voulu absorber toutes les contradictions qu'elle rencontrait en chemin ; elle a considéré les antagonismes de nature et de principe, non pas comme des obstacles qui s'opposent à l'élan créateur, mais bien comme des moyens dont l'artiste dispose pour délivrer cet élan dans son œuvre, au prix d'un continuel effort de surpassement.

De plus, cette pensée a envisagé l'univers comme un vaste système de rapports, que le créateur a pour tâche de saisir, de déchiffrer et de traduire. Elle a vu dans les modes les plus divers de la création, autant d'instruments valables dont l'homme doit se servir pour justifier l'univers en le simplifiant toujours davantage : poser un acte, découvrir et proclamer une valeur morale, composer un récit ou un poème, trouver une nouvelle structure de physique — ce sont là des aspects pareillement utiles de l'activité créatrice, et des étapes sur la voie d'une simplification générale du cosmos.

Dans l'inaccessible, cette pensée a entrevu un état de perfection qui accomplirait le devenir et serait un absolu de synthèse ; cette parfaite unité, elle l'a appelée : Dieu.

Simultanément, et sans cesser de tendre vers l'idéal esthétique, Saint-Exupéry s'est tourné vers un univers métaphysique. Il a aspiré à croire en un Dieu personnel, immanent, susceptible de se révéler ; il a adoré un Etre auquel la prière et la contemplation lui permettaient d'accéder. Saint-Exupéry a attendu un signe de cet Etre. Ne le recevant pas, il a tenté l'effort suprême : il a conçu un Dieu qui serait la commune mesure de Celui qu'il établissait au terme du devenir, et de l'Etre dont il souhaitait venir — dont il a affirmé, une fois au moins, être venu. Il a donc contemplé, dans la perspective de la mort, un Dieu au sein duquel le devenir et la grâce seraient réconciliés : « Seigneur, je vais à toi, selon ta grâce, le long de la pente qui fait devenir (...) Si tu faisais vers l'homme, gratuitement, le pas d'archange, l'homme serait accompli. » (*Citadelle, O.C.*, pp. 911-912)

Saint-Exupéry s'est-il contredit ?

Il a affirmé ne pas s'être trompé ; il avait toujours placé la vérité au-delà des contradictions. Il a fini par se sentir environné d'un univers où « tout est, tout simplement » (Ibid., p. 609). En d'autres termes, comme Elie Faure, Saint-Exupéry a élevé l'esthétique au rang d'une mystique. Mais, à l'encontre de son maître, il a contemplé un absolu où plus rien ne s'oppose, même pas le Dieu de l'esthétique et Celui qui en est la négation.

Saint-Exupéry ne s'est pas contredit dans sa démarche ; mais il a dû, à cette fin, quitter le champ de l'esthétique, pénétrer dans celui de la métaphysique, et imaginer un autre absolu qui les réconcilie.

Avant de s'achever sur le plan d'une rédemption individuelle, la civilisation esthétique dont rêvait l'auteur était destinée à être communiquée aux hommes pour les guérir de leur inquiétude. A ce titre, le songe a obligé l'homme qu'il habitait à repenser sa vocation d'écrivain et à reconsidérer les moyens dont celui-ci disposait pour traduire sa pensée. L'auteur de *Citadelle* a donc redéfini la littérature en fonction du message qu'il voulait confier à ses œuvres.

Saint-Exupéry dénonce les faux poètes : ceux qui font de l'art un jeu gratuit ou qui en tirent des avantages personnels ; ceux qui mentent et qui n'éveillent pas l'amour ou qui n'aident pas l'homme à se grandir. Par-dessus tout, il montre dans le poète celui qui respecte le patrimoine artistique légué, pour le faire fructifier et pour le rétablir dans sa fonction essentielle : transmettre un héritage spirituel. Il rappelle au poète qu'il est à l'avant-garde des collectivités et qu'il doit rendre plus qu'il ne consomme.

Saint-Exupéry redéfinit, pour lui-même, l'image poétique. Comme le surréaliste, il en situe l'origine en dehors des voies rationnelles dans le jaillissement des forces dont l'inconscient est le siège. Mais, d'autre part, il aboutit au symbolisme ; il attribue à l'image une signification et un pouvoir culturels ; il en fait une idole de sa civilisation nouvelle.

L'auteur de *Citadelle* réfléchit sur les propriétés du langage, en déplore les vicissitudes, mais en signale certaines vertus magiques. Il montre que le langage doit servir à saisir les élans psychiques les plus profonds. Le langage brut est inapte à remplir cette fonction ; l'activité globale du style, seule, permet à l'écrivain de traduire faiblement, et au prix de quels efforts, ce qui est difficilement formulable parce qu'enfoui dans le subconscient du poète.

Saint-Exupéry précise la signification du poème ; il est l'œuvre contre laquelle le poète s'échange, corps et âme, avec tous les moyens dont il dispose. L'œuvre est le résultat d'une contrainte qui délivre, à travers l'artiste, l'élan créateur lyrique ; elle est lyrique dans son essence et classique dans ses attributs. Surtout, l'œuvre n'est pas sa propre fin ; elle doit mettre les hommes en état de s'élever. Dans l'idéal, Saint-Exupéry envisage un poème parfait qui coïnciderait avec une nouvelle civilisation humaine et qui se muerait en actes, en forçant les hommes à agir. Le poème parfait serait un « acte », une réincarnation du verbe tout-puissant.

Ce rêve d'absolu s'est traduit, non seulement en mots, mais aussi en actes — ceux de l'engagement professionnel. Il s'est développé dans l'action aérienne ; il a tendu à s'achever dans les actes. L'aventure aérienne est relatée dans des récits qui replacent le lecteur devant sa profession et son métier d'homme. Ces récits expriment une vérité, mais ils la présentent habilement.

En écrivant par l'avion, Saint-Exupéry a mis à profit un instrument de connaissance et un moyen d'expression exceptionnels. Il a tiré le plus grand parti possible de ses expériences professionnelles : il a agi, il a analysé, il a cherché des solutions de synthèse, il a rêvé et il s'est souvenu ; il a, surtout, retrouvé la vérité de l'enfance et il en a revécu le merveilleux de légende. L'aviateur n'a pas rejoint le mythe d'Icare ; toute sa création littéraire s'inscrit en faux contre une conception tragique de l'homme ; cette création rétablit l'être humain dans la perspective du surhumain. S'il n'a pas retrouvé le mythe, Saint-Exupéry n'en a pas moins redécouvert, par l'avion, des vérités universelles et il a fondé des analogies nouvelles ; la plus significative de ces analogies est celle de l'aviateur et du paysan.

Sous l'angle du style, l'œuvre de Saint-Exupéry participe d'une tentative de rénovation classique dont André Gide a été l'inspirateur principal. A son époque de maturité, le style de l'aviateur est réellement celui d'un auteur qui a soumis le lyrisme de l'inspiration aux disciplines de l'expression. Une vérité universelle et qui se voulait telle, ne devait pas manquer de se chercher un élément de permanence dans une formule classique de la composition.

Du point de vue des personnages, les récits de l'aviateur n'en comptent pas qui soient de réels personnages de roman, à l'exception des héros du premier livre, qui le sont en puissance. Parmi de saisissants portraits transfigurés par le souvenir, les ouvrages de Saint-Exupéry comportent des personnages symboliques et légendaires ; ces figures aboutissent au conte merveilleux, mais elles circulent dans les documents antérieurs comme des condensateurs du rêve et du souvenir.

Saint-Exupéry nous a transmis des récits de haute valeur et un poème posthume, inachevé, qu'on ne peut cependant pas dissocier des premiers, quoi qu'il en coûte à la renommée de l'écrivain, parce qu'il nous éclaire sur les intentions véritables de l'auteur ; seul, ce testament littéraire nous permet de nous rendre compte des proportions gigantesques des visions de Saint-Exupéry.

D'autres rêves d'absolu se sont achevés dans le silence volontaire, ou abîmés dans l'égarement ; celui d'Antoine de Saint-Exupéry s'est terminé dans un acte lucide de renoncement.

En publiant *Le Petit Prince* de son vivant, l'aviateur a placé toute sa production littéraire sous le signe du retour à la vérité de l'enfance et à un essentiel qui y est contenu. Que l'on interprète ce retour comme un triomphe ou comme un désavœu, on est bien forcé de reconnaître qu'il n'est pas une solution d'évasion, mais qu'il est, au contraire, un accomplissement de l'âge et de l'esprit mûrs, chez un homme qui n'a jamais cessé de poursuivre l'essentiel afin d'en vivre et de le partager. Par-dessus tout, ce retour à une enfance transfigurée signifie l'étanchement d'une soif d'unité que Saint-Exupéry a manifestée dans ses activités et dans ses recherches les plus variées, en essayant de les orienter toutes, sans exception, vers la vérité qu'il pressentait. Cette vérité ultime, beaucoup l'ont mise en relief, en la considérant sous des angles divers, telle qu'elle apparaît à son point d'arrivée. Il restait à en exposer la démarche et à la justifier par les œuvres et dans les œuvres elles-mêmes, ainsi que dans son unité essentielle ; c'est ce que nous avons tenté d'accomplir dans ce travail.

NOTES EXPLICATIVES.

Chapitre troisième.

1. Daniel Anet, *Antoine de Saint-Exupéry*, Paris, 1946, p. 26.
2. *Œuvres Complètes*, p. 133.
3. Ibid., p. 181.
4. *Confluences*, p. 196.
5. *O.C.*, p. 814.
6. Ibid., p. 291.
7. Ibid., p. 21.
8. Ibid., p. 19.
9. Ibid., p. 93.
10. Ibid., p. 161.
11. Ibid., p. 94.
12. *Annales Politiques et Littéraires*, n° 2396, p. 534.
13. *O.C.*, p. 115 ; cf. p. 117.
14. Ibid., p. 277.
15. Ibid., p. 351.
16. Ibid., p. 313.
17. Ibid., p. 93.
18. Ibid., p. 79.
19. Ibid., p. 22.
20. Ibid., p. 139.
21. Ibid., p. 135.
22. Ibid., p. 65.
23. Ibid., p. 136.
24. Ibid., p. 15.
25. Ibid., p. 224.
26. Id.
27. Ibid., p. 160.
28. Ibid., p. 161.
29. Ibid., pp. 98-99.
30. Ibid., pp. 162-163.
31. Ibid., p. 183.
32. Id.
33. Ibid., pp. 167-168.
34. Ibid., p. 161.
35. Ibid., p. 167.
36. Ibid., p. 163.
37. Ibid., p. 156.
38. Ibid., p. 250.
39. Ibid., p. 168.
40. Ibid., p. 206.
41. Ibid., p. 74.
42. Ibid., p. 68.
43. Ibid., p. 79.
44. Ibid., p. 78.
45. Ibid., p. 305.
46. Ibid., p. 785.
47. Chevrier, *Saint-Exupéry*, p. 115 : « Saint-Exupéry s'était intéressé à la psychanalyse. Il déplorait que cette méthode d'investigation remarquable ait dévié vers une psychothérapie sans avenir. Dans les moyens d'approche que les psychanalistes avaient dégagés, Saint-Exupéry s'intéressait surtout à l'enregistrement des faits, à leur transformation symbolique variant selon chaque sensibilité particulière, à

cette sublimation du souvenir par le mécanisme de la mémoire... ».

48. Pélissier, *Les Cinq Visages...*, pp. 206-207.

49. cf. Chevrier, *Saint-Exupéry*, pp. 114-115 : « Tout jeune, ayant appris quelques notions d'hypnotisme, il avait éprouvé son pouvoir sur les institutrices de ses sœurs... »

cf. *Pilote de Guerre, O.C.*, p. 283 : « Mais il est difficile d'attribuer un rôle, au hasard, à une dame de pique (...) Mais la défaite escamote d'abord les problèmes. On ne connaît plus rien du jeu. On ne sait à quoi employer les avions, les tanks, la dame de pique... »

50. cf. *Carnets*, par ex. pp. 107, 110, 116.

51. Ibid., pp. 51, 92.

52. Op. cit., n° 257, 19me année, 1er octobre 1931, pp. 609-613.

53. *O.C.*, p. 139 : « Fabien (...) serre dans son volant le poids de la richesse humaine, et promène, désespéré, d'une étoile à l'autre, l'inutile trésor qu'il faudra bien rendre... ».

54. *Confluences*, p. 197.

55. *O.C.*, p. 136.

56. Ibid., p. 122.

57. Id.

58. Ibid. *(Citadelle)*, pp. 836-838.

59. Ibid. *(Pilote de Guerre)*, p. 304.

60. *O.C.*, p. 293.

61. Ibid., p. 520.

62. Ibid., p. 279.

63. Ibid., p. 280.

64. Ibid., p. 267.

65. Chevrier, *Saint-Exupéry*, p. 185.

66. *O.C.*, p. 251.

67. *Confluences*, p. 196.

68. *O.C.*, p. 73.

69. Ibid., p. 74.

70. Ibid., p. 120.

71. Ibid., pp. 92, 94 ; cf. p. 95 : « Trois pilotes (...) perdus dans la nuit, descendraient lentement de leur ciel d'orage ou de paix, comme d'étranges paysans descendent de leurs montagnes. »

72. Ibid., p. 252.

73. Ibid., p. 167.

74. Ibid., p. 183.

75. Ibid., p. 379.

76. Ibid., pp. 379-380.

77. *Légende des Siècles, Plein Ciel*, v. 479 ; V. Hugo compare l'aéroscaphe à la « Charrue auguste des nuées ».

78. *O.C.*, p. 153.

79. Ibid., p. 170 ; cf. *Plein Ciel*,
v. 474 « Il laboure l'abîme ; il ouvre ces sillons.
v. 477 Grâce à lui, la concorde est la gerbe des cieux;
v. 480 Il fait germer la vie humaine dans ces champs
v. 481 Où Dieu n'avait encor semé que des couchants
v. 482 Et moissonné que des aurores. »

80. *Plein Ciel*, v. 245 : « L'âpre Fatalité se perd dans le lointain ».

81. Ibid., v. 36 : « C'est la grande révolte obéissante à Dieu ! »

82. Ibid., v. 359 : « Et l'archange commence à sourire dans l'ombre. »

83. *O.C.*, p. 183.

84. *Confluences*, pp. 190-191.

85. Ibid., p. 197.

86. *O.C.*, p. 69.

87. Ibid., p. 23.

88. Ibid., p. 24.

89. Id.

90. Ibid., p. 88.

91. A.S. Eddington, *Théorie de la Relativité*, Paris, 1924, p. 80.

92. *O.C.*, p. 20.

93. Ibid., p. 15.

94. Ibid., p. 20.

95. Ibid., p. 21.

96. Lewis Galantière, « Antoine

de Saint-Exupéry », *Atlantic Monthly*, CLXXIX, n° 4 (avril 1947), pp. 133-141. Le traducteur de Saint-Ex. a confirmé oralement, à notre intention, l'avis qu'il a émis en 1947.

97. *O.C.*, p. 27.
98. Ibid., p. 26.
99. Ibid., p. 15.
100. Ibid., p. 88.
101. Ibid., p. 58.
102. Ibid., p. 51.
103. Ibid., p. 14.
104. Id.
105. Ibid., p. 15.
106. Id.
107. Id.
108. Ibid., p. 41.
109. Ibid., p. 18.
110. Ibid., p. 86.
111. Ibid., p. 98 *(Vol de Nuit).*
112. Ibid., p. 159 *(Terre des Hommes)* ; cf. p. 162.
113. Ibid., p. 11.
114. Id.
115. Id.
116. Id.
117. Ibid., p. 13.
118. Ibid., p. 17.
119. Ibid., p. 15.
120. Ibid., pp. 13-14.
121. Ibid., p. 17 ; cf. le début du premier chapitre d'une version antérieure de *Citadelle* : « J'étais seigneur berbère et je rentrais chez moi. Je venais d'assister à la tonte des laines... » (*O.C.*, p. 425).
122. Ibid., p. 11.
123. André Gide, *Morceaux Choisis*, Paris, 1921, pp. 92-93 : « Le grand artiste classique travaille à n'avoir pas de manière ; il s'efforce vers la banalité. S'il parvient à cette banalité sans effort, c'est qu'il n'est pas un grand artiste... »
124. *O.C.*, p. 159.
125. Ibid., p. 172.
126. Ibid., p. 173.
127. Ibid., p. 182.
128. Claudel-Gide, *Correspondance* (1899-1926), Paris, 1949, p. 57.
129. *O.C.*, p. 252.
130. Ibid., p. 165.
131. Ibid., p. 225.
132. Ibid., p. 417.
133. Galantière, « Antoine de Saint-Exupéry », *Atlantic Monthly*, CLXXIX, n° 4, p. 137.
134. Pélissier, *Saint-Exupéry*, p.12
135. *O.C.*, p. 425.
136. Préface à *Vol de Nuit.*
137. Benjamin Crémieux, « Vol de Nuit », *N.R.F.*, n° 217, 19e année, 1er octobre 1931, pp. 609-613.
138. *Confluences*, p. 191.
139. *O.C., (Courrier-Sud)*, pp. 81, 84 : « Un fortin français dans le Sahara. Un vieux sergent reçut Bernis et riait de joie à la vue d'un frère. Vingt Sénégalais présentaient les armes (...) Ah ! buvez ! Ça me fait plaisir d'offrir du vin... »
140. Ibid., pp. 199-200.
141. Chevr., *Saint-Exupéry*, p. 45.
142. *O.C.*, p. 180.
143. Ibid., p. 307.
144. Ibid., p. 328.
145. Ibid., pp. 369-370.
146. Jean-Paul Sartre, *Les Temps Modernes*, II, n° 21, juin 1947, p. 1640 : « Si je n'ai parlé, plus haut, ni de Malraux ni de Saint-Exupéry, c'est qu'ils appartiennent à notre génération. Ils ont écrit avant nous et sont sans doute plus âgés que nous. Mais alors qu'il nous a fallu, pour nous découvrir, l'urgence et la réalité physique d'un conflit, le premier a eu l'immense mérite de reconnaître, dès son premier ouvrage, que nous étions en guerre (...) Pour le second, contre le subjectivisme et le quiétisme de nos prédécesseurs, il a su esquisser les grands traits d'une littérature du travail et de l'outil. Je montrerai plus loin qu'il est le précurseur d'une littérature de construction qui tend à remplacer la littérature de consommation

(...) Quand je dis *nous*, par conséquent, je crois pouvoir parler d'eux. »

147. *O.C.*, p. 53.
148. Ibid., pp. 14-15.
149. Ibid., p. 22.
150. Ibid., p. 23.
151. Ibid., p. 69.
152. Ibid., p. 71.
153. Ibid., p. 22.
154. Ibid., p. 27.
155. Ibid., p. 71.
156. Ibid., p. 123.
157. Ibid., p. 141.
158. Ibid., p. 173.
159. Ibid., p. 74.
160. Ibid., p. 274.
161. Ibid., p. 274.
162. Ibid., p. 957.
163. Ibid., p. 960.
164. Ibid., p. 1007.
165. Ibid., p. 1008.
166. Id.
167. Ibid., p. 1010.
168. Ibid., pp. 834-838 (Chap. CXC, CXCI).
169. Ibid., p. 231.
170. Ibid., pp. 310-311.
171. Ibid., pp. 33-40 (Chap. III, IV, V, Deuxième Partie).
172. Ibid., p. 44.
173. Ibid., p. 111.
174. Ibid., pp. 138-139.
175. Ibid., p. 141.
176. Ibid., p. 274.
177. Ibid., p. 186.
178. Ibid., p. 344.
179. Ibid., pp. 362-363.
180. Ibid., p. 776 ; cf. pp. 457, 458, 546, 712, 713, 776-779.
181. Ibid., pp. 776-777.
182. Pierre de Boisdeffre, *Métamorphose de la Littérature*, Paris, 1951, II, p. 354 (Extrait d'une lettre de l'aviateur à sa mère.).
183. cf. Adr. Monnier, « Saint-Exupéry et le Petit Prince », in *Fontaine*, n° 42, VIme année, Tome VIII, mai 1945, p. 313 : « Le petit prince, pour moi, c'est Saint-Exupéry — l'enfant qu'il fut et celui qu'il est resté en dépit des grandes personnes ; c'est le fils qu'il aurait pu avoir et qu'il a désiré sans doute. »
184. *O.C.*, p. 598 *(Citadelle)*.
185. Ibid., pp. 16, 29 *(Courrier-Sud)*.
186. Ibid., pp. 27-28.
187. Ibid., pp. 92-93 *(Vol de Nuit)*.
188. Ibid., p. 120.
189. Ibid., p. 355.
190. Id. ; cf. aussi, pp. 193, 195, 394.
191. cf. André Gide, *Les Faux Monnayeurs*, Paris, 1948, Tome II ; cf. Seconde Partie, Chapitre VII : « L'auteur juge ses personnages », pp. 415 et suiv.
192. *Courrier-Sud*, *Vol de Nuit*, *Terre des Hommes* et *Pilote de Guerre*.
193. Chevr., *Saint-Exupéry*, p. 70.
194. André Gide, *Feuillets d'Automne*, Paris, 1949, p. 213.
195. Ibid., p. 210.
196. Gide, *Les Faux Monnayeurs*, Tome II, p. 415.
197. Gide, *Feuillets d'Automne*, p. 213.
198. *O.C.*, p. 182.
199. *Confluences*, p. 190.
200. Ibid., p. 196.
201. Op. cit., pp. 61-70 ; cf. Léon Werth, « Plus tard, La Perfection de la Mort ».
202. Chevrier, *Saint-Exupéry*, pp. 284, 312 (en Appendice, extraits d'articles).
203. *O.C.*, p. 384.
204. Ibid., pp. 704-705 ; cf. le chapitre CXXII.

BIBLIOGRAPHIE

(Ouvrages cités)

Albérès, R.-M., *Saint-Exupéry,* La Nouvelle Edition, Paris, 1946.

Anet, Daniel, *Antoine de Saint-Exupéry,* édit. Corréa, Paris, 1946.

Apollinaire, Guillaume, *L'Esprit Nouveau et les Poètes,* éd. J. Haumont, Paris, 1946.

Baudelaire, Charles, *Œuvres Complètes,* éd. Gallimard, N.R.F., Pléiade, 1 vol., Paris, 1951.

Bernanos, Georges, *Journal d'un Curé de Campagne,* 115e mille, éd. Plon, Paris, 1936.

Bible, la, Trad. Louis Segond, Nouvelle édition revue, Paris, 1938.

Boisdeffre, Pierre de, *Métamorphose de la Littérature,* Vol. II, éd. Alsatia, Paris, 1951.

Breton, André, *Manifeste du Surréalisme,* éd. du Sagittaire, Kra, Paris, 1924.

Buffon, *Discours sur le Style,* éd. Les Belles Lettres (Collection d'études anciennes), Paris, 1926.

Chevrier, Pierre, *Antoine de Saint-Exupéry*, éd. Gallimard, N.R.F., Paris, 1949.

Claudel, Paul, *Art Poétique*, Mercure de France, 3e édit., Paris, 1915.

Claudel, Paul et André Gide, *Correspondance (1899-1926)*, éd. Gallimard, N.R.F., Paris, 1949.

Cocteau, Jean, *Poésie (1916-1923)*, éd. Gallimard, N.R.F., Paris, 1925.

Confluences, Nouvelle Série, VIIe année, nos 12-14. No spécial d'hommage, consacré à Antoine de Saint-Exupéry, Paris, 1947.

Crémieux, Benjamin, «Vol de Nuit», in *La Nouvelle Revue Française*, no 217, 19e année, 1er octobre 1931, pp. 609-613.

Descartes, René, *Œuvres*, éd. Jules Simon, Libr. Charpentier, Paris, 1868.

Eddington, A.S., *Théorie de la Relativité*, éd. Gauthier-Villars, Paris, 1924.

Europe, no 179, Paris, 15 novembre 1937.

Europe, no 180, Paris, 15 décembre 1937. (No spécial d'hommage, consacré à Elie Faure.)

Fargue, Léon-Paul, « Un Homme Complet », in *Confluences*, N.S., 12-14, 1947, pp. 38-43.

Faure, Elie, *L'Arbre d'Eden*, éd. Crès, Paris, 1922.

— *La Conquête*, éd. Crès, Paris, 1917.

— *Les Constructeurs*, éd. Crès, Paris, 1914.

— *La Danse sur le feu et l'eau*, éd. Crès, Paris, 1920.

— *Equivalences*, éd. Robert Marin, Paris, 1951.

— *L'Esprit des Formes* (Histoire de l'Art), éd. Plon, Paris, 1949.

— *Henri Matisse*, (en collaboration avec L. Werth, J. Romains et Ch. Vildrac), Cahiers d'aujourd'hui, éd. Crès, Paris, 1923.

— *Histoire de l'Art*, en 4 vol., éd. Crès, Paris, 1909, 1911, 1914, 1921.

— *Méditations Catastrophiques*, éd. Jean Flory, Paris, 1937.

— *Montaigne et ses Trois Premiers-nés*, éd. Crès, Paris, 1926.

— *Napoléon*, éd. Crès, Paris, 1922.

— *Regards sur la Terre Promise*, éd. Jean Flory, Paris, 1936.

— *La Sagesse divine dans la littérature didactique des Hébreux et des Juifs*, thèse de doctorat : cf. *Catalogue général* de la Bibliothèque Nationale, n° 49, Paris, 1912, p. 1222.

Fermaud, Jacques, « L'Inquiétude chez Antoine de Saint-Exupéry », in *Publications of the Modern Language Association* of America *(PMLA)*, Vol. LXI, déc. 1946, pp 1201-1210.

Galantière, Lewis, « Antoine de Saint-Exupéry », in *Atlantic Monthly*, CLXXIX, n° 4, avril 1947, pp. 133-141.

Gascht, André, *L'Humanisme Cosmique de Saint-Exupéry*, éd. Satinforth, Bruges, 1947.

Gide, André, *André Walter*, édition définitive, Les Œuvres Représentatives, Paris, 1930.

— *Les Faux Monnayeurs*, dans *Récits, Roman, Soties*, Tome II, éd. Gallimard, N.R.F., Paris, 1948.

— *Feuillets d'Automne*, éd. Mercure de France, Paris, 1949.

— *Journal*, dans *Œuvres Complètes*, éd. L. Martin-Chauffier, Gallimard, N.R.F., Paris, 1933.

— *Morceaux Choisis*, éd. Gallimard, N.R.F., Paris, 1921.

— *Les Nourritures Terrestres et les Nouvelles Nourritures,* 116e édition, Gallimard, N.R.F., Paris, 1942.

— *Prétextes,* 18e édition, Mercure de France, Paris, 1929.

— *Le Retour de l'Enfant Prodigue,* 3e édition, Gallimard, N.R.F., Paris.

Hugo, Victor, *La Légende des Siècles,* Vol. II, Librairie Hachette, Paris, 1930.

Leconte de Lisle, *Poèmes Barbares,* Librairie Alph. Lemerre, Paris.

Mallarmé, Stéphane, *Poésies,* éd. Gallimard, N.R.F., Paris, 1945.

Malraux, André, *La Tentation de l'Occident,* 12e éd., Grasset, Paris, 1926.

Mille et une Nuits, les, Trad. Galland, éd. A. Desrez, Paris, 1840.

Monnier, Adrienne, « Saint-Exupéry et le Petit Prince », in *Fontaine,* n° 42, VIe année, Tome VIII, Alger, Mai 1945.

Nietzsche, Frédéric, *Ainsi parlait Zarathoustra,* Traduct. d'Henri Albert, éd. Mercure de France, 29e édition, Paris, 1914.

— *Pages Choisies,* Traduct. d'Henri Albert, 5e édition, Mercure de France, Paris, 1899.

Nokerman, Jean, « Saint-Exupéry et le Sens de Dieu », in *La Revue Nouvelle,* 15 octobre 1948.

Pagès, Gaston, « Vues Alternées sur Elie Faure », in *La Grande Revue,* n° 5, 41e année, Paris, 1937, pp. 63-67.

Pélissier, Georges, *Les Cinq Visages de Saint-Exupéry,* éd. Flammarion, Paris, 1951.

Picon, Gaëtan, *Panorama de la Nouvelle Littérature Française,* éd. Gallimard, N.R.F., Paris, 1949.